WILLIAMS-SONOMA

NUEVOS SABORES PARA
postres

RECETAS
Raquel Pelzel

FOTOGRAFÍA
Tucker + Hossler

TRADUCCIÓN
Concepción O. de Jourdain
Laura Cordera L.

 degustis

primavera

verano

otoño

invierno

presentando **nuevos sabores**

En la comunidad globalizada de la actualidad tenemos acceso a un mundo entero de ingredientes tentadores como son las especias, hierbas, chocolates y licores que proceden de todo el mundo. Al mismo tiempo, el movimiento de alimentos locales y de temporada ha traído a nuestras cocinas ingredientes de suprema calidad provenientes de las granjas y campesinos cercanos. En una agradable forma innovadora podemos combinar algunos sabores anteriormente exóticos con ingredientes locales y frescos de granja para revigorizar nuestras recetas favoritas. Los elementos de alto impacto agregan atrevidas irrupciones de sabores así como un conjunto de texturas creando platillos que en verdad pueden envolver a nuestros sentidos. Esta es la esencia de estas recetas de postres.

La inspiración para llevar sabores frescos y personalidad a nuestra cocina y pastelería se puede encontrar prácticamente en cualquier lugar, en una tienda de abarrotes bien surtida, en un mercado de granjeros, en una tienda de la localidad especializada en quesos, en una establecimiento especializado en especias y en nuestra propia hortaliza. Busque ideas y consejos en la naturaleza: Lo más maduro, fresco y sabroso son los productos de temporada que crecen en la localidad y que se encuentra en abundancia en los puestos del mercado. Así, cuando usted cocine y hornee agregue sabores con un espíritu atrevido y aventurero, reinventando las recetas favoritas de antaño usando nuevos y exóticos sabores.

Este libro, organizado por temporadas, presenta cuarenta y cuatro recetas para postres, cada una creada cuidadosamente para resaltar los beneficios de la fruta y verdura en la cúspide de su frescura. Las recetas también se organizaron por temporada con otro fin: los postres ligeros, frescos y asados son para los días cálidos y largos; los sustanciosos y reconfortantes, para los meses fríos. En cada temporada encontrará suntuosos y atractivos postres nuevos pero de alguna manera familiares. Con cada bocado sabroso, deleitará su paladar con sabores reconfortantes y le sorprenderán con giros inesperados.

la frescura como ingrediente

El ingrediente más importante en estas recetas no es la mantequilla ni el azúcar, tampoco la harina. Es la frescura. Los ingredientes frescos, ya sea lácteos, especias o frutas, son las claves para el sabor total ya que son dulces, puros e intensos. Con la frescura como ingrediente básico lo único que falta es ponerle el betún al pastel.

de temporada Las frutas que llenan el mercado de granjeros en su pico de temporada de cultivo son evidentemente maduras y azucaradas y sus colores son brillantes y saturados. Pero su apariencia no lo es todo. Dé una olfateada, un dulce y embriagador perfume debe llenar sus sentidos. Con dicha ambrosía y carácter meloso, es fácil resaltar la fruta de la estación en un sencillo postre. Deje que las temporadas sean su clave: No hay mejor momento para hacer un cobbler de durazno que el verano, así como el otoño es ideal para preparar las peras asadas.

local Trate de comprar sus ingredientes de un puesto de granjas cercanas o de mercados de granjeros. Si los adquiere de fuentes locales, es más probable que las cerezas empacadas en un recipiente pequeño y las ciruelas de una caja de madera hayan sido cosechadas con unas cuantas horas de antelación por personas realmente interesadas en la calidad del producto. Ya que tienen que viajar una corta distancia de la granja a la mesa, la mayoría de las frutas cultivadas en la localidad se puede quedar en el árbol hasta madurar completamente. Esto se traduce en un sabor más dulce y delicioso.

orgánico Si elige frutas orgánicas en vez de las convencionales será otra forma de garantizar la frescura. Los productos orgánicos no están tratados con los pesticidas ni preservativos sintéticos que se usan en los productos convencionales. Por lo tanto, aunque los productos convencionales duran más tiempo en el anaquel, su sabor puede variar pero los productos orgánicos de vida corta tienen un sobresaliente sabor natural que inevitablemente usted descubrirá y disfrutará.

¡sea atrevido!

Las recetas de este libro capturan sabores atrevidos y excitantes y los introducen en los postres clásicos. Presentan ingredientes de alto impacto con carácter único y alimentos de intenso sabor provenientes de la despensa internacional. Las recetas también proporcionan inspiración desde el punto de vista del sabor. Los resultados son revelaciones deliciosas: postres con influencia global que rebosan sabores frescos e innovadores.

sabores de alto impacto Con la intensidad del sabor como parte de sí mismo, el postre es un evento memorable no sólo la parte final de una comida. En estas recetas, se presentan acentos atrevidos de especias, hierbas y quesos, así como gustos propios de fuentes más sorprendentes como son las hojas de té, aceite de oliva extra virgen e incluso sal de mar. El secreto para integrar estos grandiosos sabores en los postres es balancearlos con otros ingredientes en el platillo.

ingredientes globales El mercado global proporciona una dirección fresca al reino de los postres. Los ingredientes internacionales, como son el vinagre balsámico italiano, las cinco especias chinas y los vinos y licores importados pueden agregar instantáneamente un giro moderno y un elemento de aventura a los postres clásicos. Encontrar estos ingredientes nunca había sido tan fácil gracias a las tiendas de abarrotes y a aquellas especializadas en alimentos bien surtidas.

combinaciones inesperadas Las bases sabrosas y las combinaciones originales de sabores proporcionan un elemento de sorpresa a los postres y les aportan una toque a fresco y nuevo. El queso de cabra con limones, el romero con oporto y la albahaca con melón son combinaciones inesperadas que, cuando se mezclan con un poco de azúcar, se convierten en deliciosos postres que despiertan al paladar. Un espíritu atrevido es todo lo que se necesita para crear deliciosas y sorprendentes tentaciones.

sabores en capas

En este libro se ha considerado cuidadosamente el equilibrio y el contraste de sabores, texturas y temperaturas para crear complejidad en cada postre. Al hacer postres en capas se crean platillos que atraen al paladar desde el primer bocado.

sabor El combinar elementos de sabor contrastante, como es lo picante con lo agrio, no es un concepto nuevo. Sin embargo, en los postres, el usar ingredientes sazonados como los fuertes granos de pimienta negra o la salada fleur de sel es una idea innovadora que agrega dimensión y profundidad. Cuando los sabores se colocan en capas, lo dulce es la primera sensación que llega al paladar y de ahí surgen los sabores en formas sorprendentes creando un postre delicioso y complejo.

textura Las texturas que se complementan en los postres los hacen especialmente sustanciosos: una corteza crujiente de azúcar compensa un relleno de natilla sedosa; y las migas de galleta crujiente muestran lo vaporoso de un mousse. Agregar textura puede ser tan sencillo como espolvorear nueces tostadas o agregar una cucharada de crema batida, pero es un toque delicado que puede convertir un postre sencillo en uno sublime.

temperatura Al aparear componentes fríos con cálidos se proporciona un efecto agradable así como una variedad de sensaciones que comprometen al paladar. Con un contraste de temperatura, como será una bola de helado sobre un crujiente caliente de fruta, un postre sencillo lo invita y deleita desde el primer bocado hasta el final.

Hacer que los postres clásicos sepan a postres únicos e inspirados no significa siempre el hacerlos complicados. De hecho, la clave es lo sencillo: Usando los ingredientes más finos y frescos desde el principio así como sabores atrevidos y opulentos como son los sazonadores, un postre mundano se transforma fácilmente en un gran final memorable.

primavera

pavlovas de mango con cardamomo

claras de huevo, 4, a temperatura ambiente

cremor tártaro, ⅛ cucharadita

azúcar, 1¼ taza

fécula de maíz, 1 cucharada

vainas de cardamomo verde enteras, 20

mangos, 3

limón agrio, 1

crema dulce batida (página 144)

RINDE 6 PORCIONES

Precaliente el horno a 135ºC (275ºF). Cubra con papel encerado para hornear una charola para hornear con borde. Usando una batidora de mesa a velocidad alta, bata las claras de huevo hasta que esponjen. Agregue el cremor tártaro y continúe batiendo mientras agrega gradualmente ¾ taza del azúcar hasta que se formen picos suaves. Cierna la fécula de maíz sobre las claras e integre con la mezcla usando movimiento envolvente.

Ponga 6 cucharadas de la mezcla, ahora llamada merengue, sobre la charola para hornear, dividiéndola uniformemente y dejando una pequeña separación entre cada porción. Usando el revés de una cuchara y trabajando con movimiento circular, extienda cada porción haciendo discos de aproximadamente 10 cm (4 in) de ancho y haga un hueco en el centro de cada uno. Hornee los merengues alrededor de una hora, hasta que su superficie ya no esté pegajosa y estén ligeramente dorados. Deje enfriar los merengues completamente sobre la charola para hornear colocándola sobre una rejilla de alambre.

Usando el lado plano de un cuchillo para chef, abra ligeramente las vainas de cardamomo. Coloque las vainas en una olla junto con la ½ taza de azúcar restante y ⅓ taza de agua y lleve a ebullición sobre fuego medio-alto. Hierva lentamente, alrededor de 2 minutos, moviendo de vez en cuando, hasta que se disuelva el azúcar. Deje enfriar a temperatura ambiente. Retire la piel de los mangos, corte la pulpa en cubos de aproximadamente 1 cm (½ in) y coloque los cubos en un tazón. Usando un rallador de cítricos, retire un poco de ralladura de limón en tiras delgadas y reserve para adornar. Exprima el limón sobre el mango, vierta la miel de cardamomo a través de un colador de malla fina colocado sobre el tazón y mezcle hasta integrar por completo.

Para servir, coloque cada merengue sobre un plato para postre. Agregue una cantidad generosa de crema batida sobre cada merengue. Usando una cuchara ranurada, cubra la crema batida con algunos cubos de mango. Rocíe un poco de miel de cardamomo sobre el mango, adorne con las tiras de ralladura de limón y sirva de inmediato.

El cardamomo tiene un maravilloso sabor complejo. Las diminutas semillas pegajosas que hay dentro de las vainas fibrosas contienen toques de jengibre, pimienta de jamaica, clavo y pimienta negra con un sabor único. En esta receta, una miel con especia de cardamomo complementa a la perfección la dulzura tropical de los mangos de textura cremosa.

trifle de chocolate blanco con fresas y piña

El chocolate blanco tiene un sabor amantequillado con toques suaves de vainilla. En este sencillo trifle su riqueza logra un delicioso equilibrio con la acidez de la fruta fresca y el sabor de ron añejo. El coco que se espolvorea sobre el trifle proporciona un sabor anuezado y una textura crujiente y a la vez chiclosa.

En un tazón térmico grande coloque el chocolate blanco. En una olla sobre fuego medio-alto lleve la crema a una ebullición. Vierta la crema caliente sobre el chocolate, tape y reserve durante 5 minutos. Destape y bata hasta que esté derretido y terso. Refrigere la mezcla de chocolate, moviéndola cada 10 minutos, aproximadamente durante 30 minutos, hasta que esté fría pero no firme. Integre la crema batida con el chocolate frío. (Si el chocolate está muy duro, déjelo suavizar a temperatura ambiente antes de mezclarlo con la crema batida.)

Prepare ralladura fina del limón y exprima el jugo. En una olla de material no reactivo mezcle la ralladura y el jugo de limón con el jengibre, ¼ taza de agua y el azúcar. Lleve a ebullición sobre fuego medio-alto alrededor de 2 minutos, moviendo ocasionalmente, hasta que el azúcar se disuelva. Continúe hirviendo sobre fuego lento durante 1 ó 2 minutos más, hasta que burbujee. Deje enfriar a temperatura ambiente.

Coloque la piña y las fresas en un tazón. En un tazón pequeño coloque 3 cucharadas de la miel de jengibre y limón, agregue el ron y mezcle. Vierta la miel restante sobre la fruta y mezcle hasta integrar.

Acomode una capa de soletas en la base de un refractario de vidrio con lados rectos y capacidad entre 3.3 y 3.7 litros (3 ½ a 4 qt), desbaratando las soletas conforme sea necesario para rellenar todos los huecos. Barnice las soletas con miel de ron hasta remojarlas por completo pero que no se desbaraten. Usando una cuchara, coloque la mitad de la mezcla de fruta sobre las soletas y cubra con la mitad de la crema de chocolate blanco. Repita la operación con otra capa de soletas, miel, fruta y crema de chocolate blanco. Cubra con plástico adherente y refrigere el trifle por lo menos 2 horas o durante toda la noche.

Cuando vaya a servir espolvoree el trifle con el coco tostado. Use una cuchara grande para servir porciones del trifle en platos pequeños.

chocolate blanco, ½ kg (1 lb), finamente picado

crema dulce para batir, 1 taza

crema dulce batida (página 144)

limón agrio, 1

jengibre fresco, una pieza de 5 cm (2 in), sin piel y rallado

azúcar, 2 cucharadas

piña, 1, sin cáscara, descorazonada y en dados pequeños

fresas, 250 g (1 pt/8 oz), sin tallo ni cáliz y en dados pequeños

ron oscuro con especias, ⅓ taza

soletas crujientes, entre 35 y 50, dependiendo del tamaño (aproximadamente 200 g (7 oz) en total

coco deshidratado sin endulzar, 1½ taza, tostado (página 94)

RINDE DE 10 A 12 PORCIONES

La mantequilla clarificada que se usa en lugar de la mantequilla regular en un panqué sencillo proporciona un sabor perfecto y anuezado. En vez de usar un glaseado, acompañe el pastel con una compota rápida de delicioso ruibarbo de primavera y jugosas fresas frescas.

panqué de mantequilla clarificada con compota de fresa y ruibarbo

La mantequilla clarificada tiene el sabor y aroma de avellanas tostadas y proporciona un sabor y color más completo y fuerte que la mantequilla normal. En esta receta enriquece un suave panqué con una idea alocada que se presenta con una sencilla compota agridulce.

Precaliente el horno a 160°C (325°F). Engrase con mantequilla un molde para panqué de 23 x 12 x 7 cm (9 x 5 x 3 in). En una olla sobre fuego medio derrita una taza de mantequilla. Reduzca el fuego a medio-bajo y hierva lentamente entre 12 y 15 minutos, girando la olla a menudo, hasta que la mantequilla se dore y huela a nuez. Cuele a través de un colador de malla fina y deje enfriar a temperatura ambiente.

En un tazón bata la harina preparada para pastel, polvo para hornear y ½ cucharadita de sal. Usando una batidora de mesa a velocidad media-alta, bata los huevos enteros, las yemas de huevo, una taza del azúcar y la vainilla durante 2 ó 3 minutos, hasta que la masa esté pálida y espesa. Reduzca la velocidad a baja y agregue los ingredientes secos en 2 tandas, mezclando hasta que queden únicamente algunas líneas. Eleve la velocidad a media-baja y vierta la mantequilla clarificada reservando 2 cucharadas. Eleve la velocidad a media y bata hasta integrar por completo. Pase la masa al molde preparado. Hornee el panqué durante 40 minutos, rotándolo a la mitad del horneado. Barnice la superficie con la mantequilla clarificada restante y espolvoree con la cucharada de azúcar. Continúe horneando durante 10 ó 15 minutos más, hasta que un probador de pastel insertado en el centro del panque salga limpio. Deje enfriar el pastel dentro del molde colocado sobre una rejilla de alambre durante 30 minutos. Desmolde sobre la rejilla y déjelo enfriar por completo.

En una olla de material no reactivo mezcle 3 cucharadas del jugo de naranja, el ¹/₃ taza de azúcar restante y una pizca de sal. Lleve a ebullición sobre fuego medio-alto. Agregue el ruibarbo y cuando suelte el hervor, reduzca el fuego a medio-bajo y hierva lentamente durante 5 minutos, moviendo ocasionalmente, hasta que se suavice. Agregue las fresas y hierva lentamente alrededor de 2 minutos hasta suavizar. En un tazón pequeño mezcle el arrurruz con la cucharada restante de jugo de naranja e integre con la mezcla de ruibarbo. Deje enfriar a temperatura ambiente. Para servir, rebane el panqué, divídalo en platos y cubra con la compota.

mantequilla sin sal, 1 taza más la suficiente para engrasar, a temperatura ambiente

harina preparada para pastel, 1¼ taza

polvo para hornear, ¼ cucharadita

sal

huevos, 3, a temperatura ambiente

yemas de huevo, 2, a temperatura ambiente

azúcar, 1¹/₃ taza más 1 cucharada para espolvorear

extracto puro de vainilla, ½ cucharadita

jugo de naranja fresco, 4 cucharadas

tallos de ruibarbo, 225 g (1/2 lb), cortados en rebanadas de ½ cm (¼ in)

fresas, 500 g (2 pt), sin cáliz ni tallo y partidas en cuartos

arrurruz, 1½ cucharadita

RINDE 8 PORCIONES

piña asada a las especias con helado de canela

azúcar, 1 taza

canela molida,
2½ cucharaditas

pimienta de jamaica,
¼ cucharadita

clavo molido,
⅛ cucharadita

piña, 1

helado de vainilla de buena calidad, ½ litro (1 pt)

ron oscuro con especias,
¾ taza

RINDE 6 PORCIONES

Remoje 6 pinchos para brocheta en agua por lo menos durante 30 minutos. En una olla pequeña mezcle ½ taza del azúcar con ⅓ taza de agua, 1 cucharadita de la canela, la pimienta de jamaica y el clavo y lleve a ebullición sobre fuego medio-alto. Hierva alrededor de 2 minutos, moviendo ocasionalmente, hasta que se disuelva el azúcar. Deje enfriar a temperatura ambiente.

Usando un cuchillo de chef, pele la piña, corte longitudinalmente en octavos y retire el centro duro de cada porción. Corte cada rebanada de piña transversalmente en trozos de 2.5 cm (1 in). Escurra los pinchos para brocheta y ensarte la piña en ellos, dividiéndolos uniformemente.

Prepare un asador de gas o carbón para asar a fuego directo sobre calor medio-alto. Mientras el asador se calienta, cubra un recipiente rectangular con cierre hermético con plástico adherente. Haga 6 bolas uniformes de helado y colóquelas en el recipiente preparado. Tape y mantenga en el congelador mientras asa la piña. Vierta el ron en un tazón poco profundo y también colóquelo en el congelador. En un tazón pequeño y poco profundo mezcle la ½ taza de azúcar restante con la 1 ½ cucharadita de canela restante.

Barnice las brochetas de piña con la miel a las especias cubriendo a la perfección los trozos de piña. Ase la piña alrededor de 4 ó 6 minutos, hasta que se dore ligeramente por todos lados. Retire la piña de los pinchos para brocheta y coloque en 6 tazones.

Retire las bolas de helado y el ron del congelador. Sumerja una de las bolas de helado en el ron y sumerja uno de sus lados en la mezcla de azúcar y canela. Coloque el helado, con el lado cubierto de especia hacia arriba, sobre la piña. Repita la operación con las demás bolas de helado y sirva de inmediato.

La canela, un producto natural y similar a la corteza de madera, le proporciona un sabor a especia a esta piña ligeramente ahumada con helado de vainilla. La combinación de la piña asada caliente y el helado a las especias frío crea un agradable contraste de temperaturas en este postre sencillo de preparar.

El buttermilk sustituye a la leche o crema en el relleno de estas pequeñas tartaletas proporcionando una versión más ligera para la clásica tarta de natilla. Horneadas en moldes para mantecadas, estas tartaletas tienen una forma que asemeja flores extrañas que combinan perfecto con esta estación.

tartaletas de buttermilk con moras frescas de primavera

harina de trigo

masa básica para tartaleta (página 142)

buttermilk o yogurt, 1½ taza

crema dulce para batir, ½ cup

jugo de limón amarillo fresco, 2 cucharaditas

azúcar, 1 taza

fécula de maíz, 1½ cucharada

sal, 1 pizca

yemas de huevo, 2, a temperatura ambiente

mantequilla sin sal, 1 cucharada

moras frescas, ya sea frambuesas o fresas, 125 g (4 oz/ ½ pt)

RINDE 12 TARTALETAS

Coloque una rejilla en el tercio inferior del horno, otra rejilla entre 7.5 cm y 10 cm de la fuente de calor y precaliente el horno a 190°C (375°F).

Sobre una superficie de trabajo ligeramente enharinada extienda la masa y forme un círculo de 30 cm (12 in) de aproximadamente ½ cm (¼ in) de grueso. Pique la masa por todos lados con ayuda de un tenedor. Usando un cortador redondo para masa de 9 cm (3 ½ in) corte 12 círculos. Presione suavemente cada círculo dentro de un molde de una charola para 12 mantecadas (la masa no llegará hasta el borde del molde) y congele aproximadamente 30 minutos. Hornee las cortezas para tartaleta sobre la rejilla inferior durante 12 ó 15 minutos, hasta que se doren ligeramente. Deje enfriar completamente en los moldes colocando la charola sobre una rejilla de alambre.

En una olla que no sea de material reactivo, mezcle el buttermilk con la crema y el jugo de limón. En un tazón pequeño bata el azúcar con la fécula de maíz y sal. Agregue la mezcla de azúcar a la olla que contiene el buttermilk junto con las yemas de huevo y bata hasta integrar. Cocine sobre fuego medio durante 6 minutos, batiendo constantemente, hasta que la mezcla hierva lentamente y tome la consistencia de un pudín espeso. Pase la mezcla a través de un colador de malla fina colocado sobre una taza grande para medir líquidos e integre la mantequilla batiendo hasta integrar por completo.

Vierta aproximadamente 2 cucharadas del relleno en cada corteza para tarataleta. Hornee las tartaletas sobre la rejilla inferior alrededor de 15 minutos, hasta que el relleno esté seco en la superficie pero aún se mueva ligeramente en el centro cuando se le agite suavemente. Precaliente el asador, pase las tartaletas a la rejilla superior y ase alrededor de 1 ½ minuto, hasta que la superficie tenga puntos dorados. Deje enfriar las tartaletas en el molde alrededor de 5 minutos, páselas a la rejilla de alambre y deje enfriar por completo. Para servir, cubra las tartaletas con moras y acomode sobre un platón o en platos individuales.

El sabor ácido del buttermilk se suaviza con la riqueza de las yemas de huevo y la crema dulce para batir en estas tartaletas miniatura. El sutil sabor suave con toque de limón de estas tartaletas permite que resplandezcan las frescas y jugosas moras del final de la primavera que las cubren.

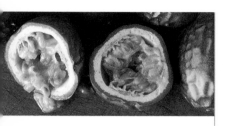

mantecadas de maracuyá con betún de coco

La pulpa de maracuyá es intensamente agridulce y tiene un afrutado sabor exótico con toques de cítrico y flor. En esta receta las deliciosas mantecadas con esencia de vainilla se rellenan con una natilla de color brillante de maracuyá y se cubren con un dulce betún de coco que combina a la perfección con el sabor tropical de las mantecadas.

Precaliente el horno a 190°C (375°F). Rocíe una charola para mantecadas con aceite de cocina en aerosol y coloque un capacillo para mantecadas dentro de cada molde. En un tazón bata la harina, polvo para hornear y sal. En una taza para medir líquidos mezcle la crema con la vainilla

Usando una batidora de mesa a velocidad baja, bata ³⁄₄ taza de la mantequilla con el azúcar granulada hasta integrar, eleve la velocidad a media-alta y bata 1 ó 2 minutos, hasta que la mezcla se esponje y esté ligera. Integre los huevos, batiendo uno a la vez, bajando la mezcla que quede en las paredes del tazón después de cada adición. Reduzca la velocidad de la batidora a baja y agregue los ingredientes secos en 3 tandas alternando con la mezcla de crema en 2 tandas. Baje la mezcla que quede en las paredes del tazón. Eleve la velocidad a media-alta y bata durante un minuto. Divida la masa uniformemente entre los moldes para mantecadas. Hornee alrededor de 20 minutos, hasta que los centros reboten al presionarlos ligeramente con la yema de sus dedo. Deje enfriar las mantecadas en la charola durante 10 minutos y posteriormente pase a una rejilla de alambre para dejar enfriar por completo.

Usando una batidora de mesa a velocidad media-baja bata la ¹⁄₂ taza restante de mantequilla con la mitad del azúcar glass hasta que se formen grumos. Agregue el azúcar glass restante y bata alrededor de un minuto, hasta que se pulverice. En una taza para medir líquidos bata la leche de coco con el extracto. Con la batidora a velocidad media agregue lentamente la mezcla de coco y bata hasta integrar por completo. Eleve la velocidad a media-alta y bata alrededor de un minuto, hasta que esté ligera y esponjada.

Usando un cuchillo mondador, corte un centro en forma de cono de 3 ¹⁄₂ cm (1 ¹⁄₂ in) hasta el centro de cada mantecada; retire cuidadosamente los centros y reserve. Rellene cada mantecada con aproximadamente una cucharada de la natilla de maracuyá y vuelva a colocar los centros. Cubra las mantecadas con el betún de coco y espolvoree con las nueces picadas. Deje cuajar el betún alrededor de 15 minutos y sirva.

aceite de cocina en aerosol

harina de trigo, 1³⁄₄ taza

polvo para hornear, 2 cucharaditas

sal, ¹⁄₂ cucharadita

crema dulce para batir, 1 taza, a temperatura ambiente

extracto puro de vainilla, 1 cucharadita

mantequilla sin sal, 1¹⁄₄ taza, a temperatura ambiente

azúcar granulada, ²⁄₃ taza

huevos, 2, a temperatura ambiente

azúcar glass, 3³⁄₄ tazas

leche de coco sin endulzar, ¹⁄₃ taza

extracto de coco, 1 cucharadita

natilla de maracuyá (página 143)

nueces de macadamia, ¹⁄₂ taza, finamente picadas

RINDE 12 MANTECADAS

crujiente de ruibarbo al jengibre

tallos de ruibarbo, 700 g
(1½ lb)

naranjas, 3

azúcar granulada, 1 taza

jengibre fresco, un trozo
de 7.5 cm (3 in), sin piel
y rallado

harina de trigo, 1½ taza

azúcar mascabado claro,
¾ taza compacta

**hojuelas de avena de
cocimiento rápido,** ½ taza

canela molida,
½ cucharadita

sal, ¼ cucharadita

mantequilla sin sal,
6 cucharadas, derretida

**helado de vainilla de buena
calidad,** para acompañar

RINDE 6 PORCIONES

Precaliente el horno a 190°C (375°F). Corte el ruibarbo en rebanadas de ½ cm (¼ in) y coloque en un refractario de 33 x 23 x 5 cm (13 x 9 x 2 in). Prepare ralladura fina con una de las naranjas y colóquela en el refractario. Exprima ⅔ taza de jugo de las naranjas y agréguelo al refractario junto con el azúcar granulada. Revuelva la mezcla de ruibarbo usando sus manos y extiéndala uniformemente en el refractario.

En un tazón mezcle el jengibre, harina, azúcar mascabado, avena, canela y sal. Usando un tenedor mezcle hasta integrar e incorpore la mantequilla derretida hasta que todos los ingredientes estén uniformemente húmedos.

Espolvoree la mezcla de avena sobre el ruibarbo y hornee durante 15 minutos. Tape holgadamente el refractario con papel aluminio y continúe horneando entre 15 y 20 minutos más, hasta que la superficie se dore y los jugos burbujeen y estén espesos alrededor de las orillas del refractario. Deje enfriar el crujiente, destapado, sobre una rejilla de alambre por lo menos durante 20 minutos.

Para servir, coloque cucharadas del crujiente en tazones, cubra con bolas de helado y sirva de inmediato.

Una generosa cantidad de jengibre recién rallado proporciona un sabor cálido y a especia a este crujiente clásico. Integrado en una cubierta amantequillada de avena, el jengibre es un exótico compañero del sabor deslumbrante del ruibarbo. A medida que se derrite sobre el crujiente caliente, el frío helado de vainilla une todos los sabores y ofrece un agradable contraste de temperatura y textura.

Los duraznos y almendras, una deliciosa combinación, son un perfecto complemento en un postre para fines de la primavera. En la rústica tarta que presentamos a continuación, sus sabores suaves se hacen aún más dulces e intensos debido al azúcar que llevan y al calor del horno.

galette de chabacano con almendras

chabacanos, 700 g (1½ lb)

jugo de limón amarillo fresco, 1 cucharada

azúcar, ½ taza

harina de trigo

masa para galette de almendra (página 142)

mermelada o jalea de chabacano, ⅓ taza

huevo, 1

almendras fileteadas, 3 cucharadas

RINDE 6 U 8 PORCIONES

Precaliente el horno a 190°C (375°F). Cubra con papel encerado para hornear una charola para hornear con borde. Parta a la mitad los chabacanos, retire el hueso y rebane finamente. Colóquelos en un tazón junto con el jugo de limón y el azúcar. Mezcle para cubrir por completo.

Sobre una superficie de trabajo ligeramente enharinada extienda la masa haciendo un círculo de 38 a 40 cm (15-16 in) de diámetro y aproximadamente ½ cm (¼ in) de grueso. Doble la masa en cuartos y extiéndala sobre la charola para hornear preparada. Extienda la mermelada de chabacano sobre la masa, dejando una orilla libre de 7.5 cm (3 in) y acomode los chabacanos uniformemente sobre la mermelada. Doble las orillas de la masa sobre los chabacanos, plegando holgadamente la masa y dejando la galette abierta en el centro.

En un tazón pequeño bata el huevo con una cucharada de agua. Barnice la masa con la mezcla de huevo y espolvoree con las almendras.

Hornee la galette entre 35 ó 45 minutos, hasta que la masa y las almendras estén doradas y los chabacanos se sientan suaves al picarlos con un cuchillo. Deje enfriar completamente sobre la charola para hornear colocándola sobre una rejilla de alambre.

Para servir, pase la galette a un platón o tabla de picar, corte en rebanadas y divida entre los platos de servicio.

Las almendras proporcionan un sabor anuezado y dulce a esta encantadora tarta abierta en dos formas: en las almendras molidas que se mezclan en la masa y en las almendras fileteadas que se espolvorean sobre las orillas de la tarta antes de hornear. La deliciosa y suave masa sirve de envoltura para los maduros y aromáticos chabacanos que tienen una afinidad con las almendras.

tartaletas de key lime con cocoa

El key lime es un limón de tamaño pequeño pero que tiene mucha fragancia cítrica y una incomparable acidez. Para estas tartaletas se convierte en un dulce pero ácido relleno que contienen un color y sabor que contrasta con las cortezas de cocoa semiamargas. Un delicioso toque de crème fraîche tamiza todos los atrevidos sabores.

Precaliente el horno a 190°C (375°F). Aplane la masa con sus manos, haciendo un rectángulo de 15 x 23 cm (6 x 9 in). Corte el rectángulo longitudinalmente a la mitad y corte cada mitad transversalmente en tercios; deberá tener seis cuadros de 7.5 cm (3 in). Coloque cada cuadro en un molde para tartaleta de 7.5 cm (3 in). Sumerja las yemas de sus dedos en la cocoa en polvo y presione la masa sobre las bases y lados de los moldes. Presione retirando el exceso de masa que salga de los bordes de los moldes y use los sobrantes para rellenar grietas u hoyos. Coloque las cortezas de tartaleta sobre una charola para hornear con borde y hornee alrededor de 10 minutos, hasta que estén firmes. Deje enfriar las cortezas sobre la charola para hornear colocándola sobre una rejilla de alambre.

Mientras tanto, en un tazón bata la leche condensada, reservando 3 cucharadas (para otro uso si lo desea), el huevo entero, las yemas de huevo y el ron. Haga ralladura fina de 3 limones y exprima $1/3$ taza de jugo de limón. Integre la ralladura y jugo de limón con la mezcla de leche condensada. Vierta el relleno en las cortezas para tartaleta, dividiéndola uniformemente y hornee alrededor de 15 minutos, hasta que cuaje. Deje enfriar a temperatura ambiente sobre la charola para hornear colocada sobre una rejilla de alambre, tape con plástico adherente y refrigere por lo menos durante 4 horas o hasta por 2 días.

Cuando vaya a servir extienda aproximadamente $1 1/2$ cucharada de crème fraîche sobre la cubierta de cada tartaleta, dejando un borde delgado alrededor de las orillas. Ralle finamente un poco de chocolate sobre las tartaletas, retírelas de los moldes y sirva.

masa para tartaleta de cocoa (página 142), a temperatura ambiente

cocoa en polvo

leche condensada dulce, 1 lata ($1/2$ litro/14 oz)

huevo, 1, a temperatura ambiente

yemas de huevo, 2, a temperatura ambiente

ron blanco, 3 cucharadas

key limes, 7 u 8

crème fraîche (página 144 o comprada), $2/3$ taza

chocolate semiamargo, para adornar

RINDE 6 TARTALETAS

pudín de **tapioca** con esencia de jazmín y kiwi

perlas de tapioca grandes, 1 taza

leche entera, 4 tazas

azúcar, ¼ taza

media crema, ¾ taza

hojas de té jazmín, 2 cucharadas

kiwis frescos, 3

RINDE 6 PORCIONES

Coloque la tapioca en un tazón grande, cubra con 7.5 cm (3 in) de agua fría y remoje durante toda la noche a temperatura ambiente.

En una olla grande sobre fuego medio-alto mezcle la leche con el azúcar y lleve a ebullición. Escurra la tapioca, agregue la mezcla de leche y revuelva hasta integrar por completo. Reduzca el fuego a medio y hierva lentamente durante 20 ó 25 minutos, moviendo a menudo, hasta que la tapioca esté suave. Si la mezcla empieza a hervir demasiado fuerte reduzca el fuego a medio-bajo. Nuevamente escurra la tapioca reservando una taza del líquido de cocimiento. Deje enfriar el líquido de cocimiento y refrigere, tapado, hasta el momento de usar.

Mientras se cocina la tapioca, hierva lentamente la media crema en una olla pequeña sobre fuego medio-alto. Retire del fuego, agregue las hojas de té jazmín, tape y deje que se infunda durante 5 minutos.

Vierta la media crema con infusión de té a través de un colador de malla fina colocado sobre la tapioca escurrida y mezcle para integrar por completo; deseche las hojas de té. Deje enfriar la mezcla de tapioca a temperatura ambiente y refrigere por lo menos durante 3 horas o de preferencia durante toda la noche.

Cuando vaya a servir, retire la piel de los kiwis, corte longitudinalmente en cuartos y después corte los cuartos transversalmente en trozos de 1 cm (½ in). Diluya el pudín usando el líquido de cocimiento reservado hasta obtener la consistencia deseada. Usando una cuchara, pase el pudín a tazones, adorne con el kiwi y sirva.

El té jazmín infunde este pudín con un delicado aroma y un ligero matiz herbal mientras que las perlas grandes de tapioca le proporcionan un toque distintivo y una textura única. El kiwi fresco le agrega un color vibrante y le proporciona un sabor afrutado ácido que equilibra la profusión del pudín.

La pimienta negra recién triturada proporciona un suave sabor a especia a las fresas maduras; y el oscuro y amielado vinagre balsámico imita el suave sabor agridulce de las fresas. El delicioso resultado es un sorprendente postre de sabores en capas y una intensa esencia de fresa.

parfait de fresa con pimienta negra vinagre balsámico

granos de pimienta negra,
2 cucharadas

fresas, 500 g (2 pt)

azúcar, ½ taza

vinagre balsámico añejado de buena calidad,
2 cucharadas

kirsch, 1 cucharada

helado de vainilla de buena calidad, ½ litro (1 pt)

crema dulce batida
(página 144)

RINDE 6 PORCIONES

Usando un mortero con su mano o un rallador de especias, triture toscamente los granos de pimienta negra. Retire el cáliz y tallo de las fresas y parta la mitad de ellas longitudinalmente a la mitad. Coloque todas las fresas en un tazón y agregue la pimienta triturada.

En una olla gruesa mezcle el azúcar con ¼ taza de agua. Tape y lleve a ebullición sobre fuego medio, revisando el azúcar a menudo. Una vez que el azúcar se empiece a derretir, destape y gire la olla ocasionalmente, hasta que el azúcar se disuelva, aproximadamente 5 minutos. Continúe hirviendo lentamente, sin tapar, de 3 a 5 minutos más, hasta que el azúcar se convierta en un caramelo de color ámbar.

Agregue cuidadosamente la mezcla de fresas al caramelo (burbujeará vigorosamente y se endurecerá en ciertos puntos). Usando una espátula térmica de silicón integre las fresas con el caramelo lo mejor que pueda y cocine durante 1 ó 2 minutos, hasta que se hayan derretido todos los trozos de caramelo. Pase a un tazón e integre el vinagre balsámico y el kirsch. Deje enfriar a temperatura ambiente y tape con plástico adherente. Refrigere por lo menos durante una hora o hasta por 8 horas.

Cuando vaya a servir, deje reposar el helado a temperatura ambiente alrededor de 10 minutos para que se suavice ligeramente. Haga capas con los ingredientes en 6 copas para vino o postre sin pata colocándolos en el siguiente orden: fresas con su jugo; helado; más fresas con jugo y finalmente la crema batida, dividiendo los ingredientes uniformemente. Sirva de inmediato.

La fuerte pimienta negra y el vinagre balsámico similar a la melaza combinan con las maduras y frescas fresas del final de la primavera para hacer un postre de intenso sabor. Una capa de delicioso helado de vainilla suaviza el agresivo sabor de los ingredientes y pule este platillo.

verano

torta de expresso de chocolate con cerezas frescas

mantequilla sin sal, ½ taza más la necesaria para engrasar, a temperatura ambiente

chocolate semiamargo, 350 g (¾ lb), finamente picado

chocolate sin azúcar, 350 g (¾ lb), finamente picado

expresso recién preparado, ½ taza, a temperatura ambiente

extracto puro de vainilla, ½ cucharadita

sal, ½ cucharadita

yemas de huevo, 6, a temperatura ambiente

azúcar, 1 taza

claras de huevo, 4, a temperatura ambiente

cremor tártaro, ¼ cucharadita

cerezas ácidas frescas, 350 g (¾ lb)

jugo de cereza, ⅓ taza

arrurruz, 1 cucharada

brandy, 2 cucharadas

RINDE DE 8 A 10 PORCIONES

Precaliente el horno a 200°C (400°F). Engrase con mantequilla un molde desmontable, cubra la base con un círculo de papel encerado para hornear y engrase el papel con manequilla. Envuelva el exterior del molde con una hoja grande de papel aluminio. En un tazón térmico colocado sobre (pero sin tocar) agua hirviendo a fuego lento, derrita la ½ taza de mantequilla y los chocolates; mezcle a menudo hasta suavizar. Integre el expresso, vainilla y sal. Reserve para que se enfríe ligeramente.

En un tazón grande bata vigorosamente las yemas de huevo con ½ taza del azúcar hasta que estén claras y cremosas. Integre la mezcla de chocolate con movimiento envolvente. Usando una batidora de mesa a velocidad media-alta, bata las claras de huevo con el cremor tártaro hasta que esponjen. Agregue lentamente ¼ taza del azúcar y bata hasta que las claras formen picos duros y brillantes. Integre suavemente las claras de huevo con la mezcla de chocolate usando movimiento envolvente y pase la masa al molde preparado raspando el tazón. Coloque el molde desmontable en una charola grande para asar, ponga en el horno y vierta aproximadamente 2.5 cm (1 in) de agua muy caliente en la charola para asar. Hornee durante 10 minutos, reduzca la temperatura a 175°C (350°F) y continúe horneando durante 25 ó 30 minutos más, hasta que el centro de la torta esté firme. Retire la torta del baño María, deseche el papel aluminio y deje enfriar sobre una rejilla de alambre durante una hora. Retire los lados del molde, invierta la torta sobre una hoja de papel encerado para hornear engrasada con mantequilla. Retire la base del molde, desprenda el círculo de papel encerado para hornear, invierta la torta sobre un platón y deje enfriar por completo.

Retire los huesos de las cerezas y parta a la mitad. En una olla mezcle las cerezas con el jugo de cereza y el ¼ taza restante de agua; lleve a ebullición sobre fuego medio-alto. Hierva lentamente durante 1 ó 2 minutos, moviendo de vez en cuando hasta que las cerezas se suavicen ligeramente. En un tazón pequeño mezcle el arrurruz con el brandy e integre con la mezcla de cereza. Pase la mezcla a un tazón y deje enfriar por completo. Parta la torta en rebanadas y sirva con la cubierta de cereza.

El sabor ahumado del expresso es una combinación excepcional para el chocolate semiamargo y esta oscura y colosal torta demuestra su perfecto maridaje. Una cubierta de cerezas ácidas envuelve el delicioso sabor de la torta y con su color rojo rubí proporciona un sorprendente contraste visual.

panqués de cornmeal con moras frescas y crema ácida

Precaliente el horno a 200°C (400°F). Cubra con papel encerado para hornear una charola para hornear con borde. Coloque 1 kg (4 pt) de las frambuesas en un tazón grande. En una olla mezcle las frambuesas restantes con el azúcar y jugo de limón. Cocine las frambuesas sobre fuego medio entre 8 y 10 minutos, moviendo ocasionalmente, hasta que gran parte de ellas se revienten y estén muy jugosas. Vierta la mezcla de frambuesas caliente sobre las frambuesas frescas, mezcle suavemente y reserve. En un tazón grande bata las 2 tazas de harina con el cornmeal, polvo para hornear y sal. Agregue los trozos de mantequilla. Usando las yemas de sus dedos o un mezclador de varillas, integre la mantequilla con los ingredientes secos hasta obtener una textura que parezca carne molida. Integre la crema y mezcle con una cuchara de madera hasta humedecer uniformemente. La masa deberá quedar húmeda y unida. Si la masa se ve o se siente seca, agregue más crema, una cucharada a la vez, hasta que se una.

Sobre una superficie de trabajo ligeramente enharinada presione la masa para hacer un círculo de aproximadamente 1 cm (½ in) de grueso. Usando un cortador para pasta de 7.5 cm (3 in) corte todos los círculos que pueda y colóquelos sobre la charola para hornear preparada. Reúna los sobrantes y repita la operación; debe obtener 8 círculos en total. Reduzca la temperatura del horno a 190°C (375°F) y hornee los panqués entre 16 ó 18 minutos, hasta dorar. Deje enfriar por completo en la charola para hornear colocada sobre una rejilla de alambre.

Usando un cuchillo de sierra parta los panqués horizontalmente a la mitad. Coloque las mitades inferiores, con la parte cortada hacia arriba, sobre platos para postre. Usando una cuchara ponga aproximadamente 3 cucharadas de la mezcla de frambuesa sobre ellas y cubra con cucharadas de crema batida. Tape con las mitades superiores poniendo los lados cortados hacia abajo y sirva de inmediato.

frambuesas, 1 ½ kg (6 pt)

azúcar, ½ taza

jugo de limón amarillo fresco, 1 cucharada

harina de trigo, 2 tazas más la necesaria para espolvorear

cornmeal amarillo o polenta, ⅓ taza

polvo para hornear, 2 cucharaditas

sal, ½ cucharadita

mantequilla sin sal fría, 10 cucharadas, cortada en trozos de 1 cm (½ in)

crema dulce para batir, 1 taza, más la necesaria

crema dulce batida (página 144)

RINDE 8 PORCIONES

La albahaca color verde esmeralda y el jugoso melón cantaloupe están en su
mejor temporada en la cúspide del verano. Una combinación extraña, quizás,
pero en este granita ambos logran una deliciosa armonía, cada uno acentuando
el sabor de las cualidades refrescantes del otro.

granita de **melón cantaloupe** a la albahaca

La albahaca fresca, con sus toques de anís, es difícil de encontrar en postres, pero en este granita de hielo la albahaca combina a la perfección con el pequeño melón maduro. El resultado es un atrevido postre lleno de un sabor fresco pero natural. Como se necesitan tan pocos ingredientes, asegúrese de usar los productos de la mejor calidad para obtener un granita con sabor excelente.

Pique toscamente 20 hojas de albahaca; reserve las 10 hojas restantes. En una olla pequeña de material no reactivo mezcle el jugo de limón con el azúcar y 2 cucharadas de agua y lleve a ebullición sobre fuego medio-alto. Hierva lentamente alrededor de 2 minutos, moviendo ocasionalmente, hasta que se disuelva el azúcar. Retire del fuego, integre la albahaca picada, tape y deje remojar durante 15 minutos.

Mientras tanto, parta el melón a la mitad y retire y deseche las semillas. Retire la cáscara y corte la pulpa del melón en cubos de 2.5 cm (1 in).

Cuele la mezcla de albahaca a través de un colador de malla fina colocado sobre una licuadora. Agregue la mitad de los cubos de melón y pulse unas cuantas veces, después mezcle hasta obtener un puré terso. Añada los cubos restantes de melón y pulse unas cuantas veces, agregue las hojas enteras de albahaca restantes y haga puré hasta que la mezcla esté tersa. Vierta la mezcla hacia un refractario de 33 x 23 x 5 cm (13 x 9 x 2 in), tape con plástico adherente, coloque sobre una charola para hornear con borde y meta al congelador.

Después de 1 ó 1 ½ hora, revise el granita. Cuando la mezcla se empiece a congelar alrededor de las orillas de la charola, mézclela con un tenedor y vuelva a meter la charola al congelador. Mezcle el granita cada 45 minutos durante 2 ó 3 horas más, hasta que los granos estén totalmente congelados y tengan una textura esponjosa.

Usando una cuchara, coloque el granita en platos de servicio y sirva de inmediato. (El granita sabe mejor cuando se come en los 2 primeros días. Si se endurece y seca demasiado en el congelador, deje reposar a temperatura ambiente durante 10 ó 15 minutos antes de servir.)

hojas de albahaca fresca, 30

jugo de limón agrio fresco, ¼ **taza**

azúcar, ⅔ **taza**

melón cantaloupe maduro, 1 (aproximadamente 2 kg / 4 lb)

RINDE 8 PORCIONES

pastel de pluot y vainilla con streusel de nuez

mantequilla sin sal fría,
½ taza más 3 cucharadas
para engrasar

rajas de canela, 2

vaina de vainilla, 1

harina de trigo, 2 tazas

azúcar granulada, ½ taza
más 3 cucharadas

azúcar mascabado oscuro,
½ taza compacta

canela molida, ¼ cucharadita

trozos de nuez, ½ taza

**pluots (híbrido de ciruela
y chabacano),** 3

**jugo de limón amarillo
fresco,** 2 cucharadas

polvo para hornear,
1½ cucharada

bicarbonato de sodio,
¼ cucharadita

sal, ½ cucharadita

crema ácida, ¾ taza

huevos, 2

extracto puro de vainilla,
½ cucharadita

RINDE 8 Ó 9 PORCIONES

Precaliente el horno a 175°C (350°F). Engrase con mantequilla un molde cuadrado de 10 cm (8 in). En una olla sobre fuego medio derrita la ½ taza de mantequilla. Agregue los rajas de canela, reduzca el fuego a medio-bajo y hierva suavemente entre 12 ó 15 minutos, girando la olla a menudo, hasta que la mantequilla se dore y huela a nuez. Cuele la mantequilla clarificada a través de un colador de malla fina colocado sobre un tazón. Deseche las rajas de canela. Usando un cuchillo mondador, corte la vaina de vainilla longitudinalmente a la mitad y saque las semillas. Mezcle las semillas de vainilla y las vainas partidas a la mitad con la mantequilla. Deje enfriar a temperatura ambiente.

Mientras tanto, para hacer el streusel, mezcle en un tazón ½ taza de la harina, 2 cucharadas del azúcar granulada, el azúcar mascabado y la canela molida. Agregue 3 cucharadas de mantequilla fría y trabájela con las yemas de sus dedos hasta que la mezcla parezca carne molida. Integre los trozos de nuez y reserve.

Parta los pluots a la mitad, retire los huesos y corte en dados finos. Agréguelos al tazón. Añada el jugo de limón, una cucharada de azúcar granulada y mezcle hasta integrar.

En un tazón grande mezcle la 1 ½ taza restante de harina, la ½ taza restante de azúcar, el polvo para hornear, bicarbonato de sodio y sal. Retire y deseche la vaina de vainilla de la mantequilla clarificada, integre la crema ácida, huevos y extracto de vainilla. Vierta la mezcla de mantequilla sobre la mezcla de harina e integre. Extienda la masa en el molde preparado, cubra uniformemente con los pluots y espolvoree con el streusel.

Hornee el pastel entre 35 y 45 minutos, hasta dorar ligeramente y que el centro resista una ligera presión. Después de 25 minutos de horneado revise la superficie y si se ve oscura, cubra el pastel con papel aluminio y continúe horneando. Deje enfriar el pastel dentro del molde sobre una rejilla de alambre por lo menos durante 30 minutos, corte en cuadros y sirva.

La flexible y rolliza vaina de vainilla está llena de un aroma embriagador, con delicados toques de flores y almendras. En esta receta una vaina de vainilla y el extracto puro de vainilla infunden su embriagante esencia a un delicioso pastel de café que es realzado por un cremoso streusel de nuez.

El lemongrass a menudo se usa en frituras y curries sabrosos, pero su fresco y puro sabor también se presenta en los postres. La miel azucarada infundida con lemongrass cítrico endulza suavemente a las aromáticas y maduras frambuesas. El ligero toque de limón resalta su prometedor sabor.

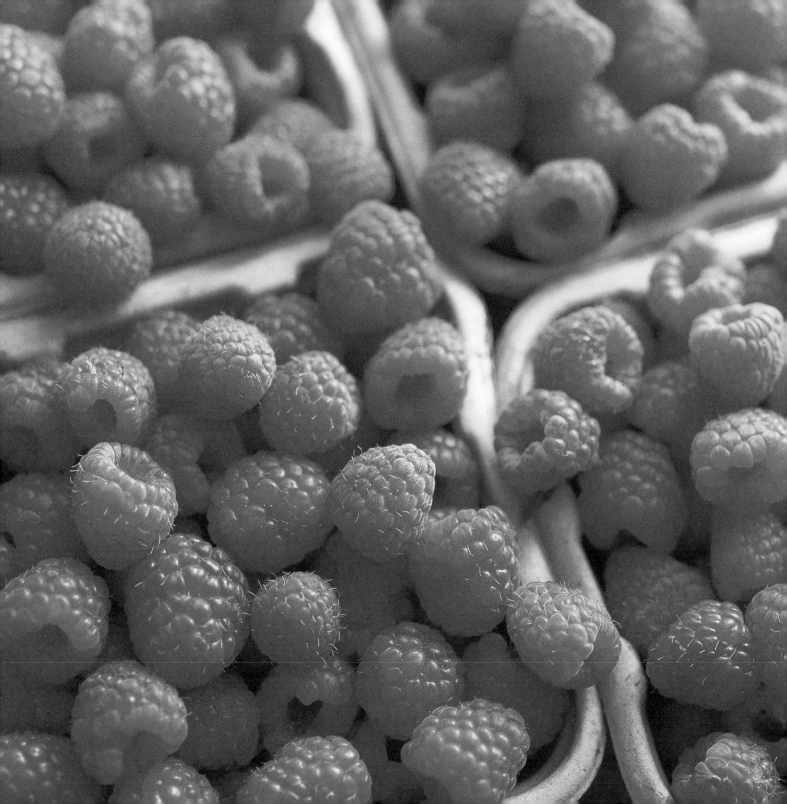

frambuesas en miel de lemongrass

lemongrass fresco, 1 tallo

azúcar, ⅓ taza

frambuesas, 1 kg (4 pt)

crema dulce batida (página 144), para acompañar

RINDE 6 PORCIONES

Retire las hojas secas del exterior del lemongrass y posteriormente corte de la parte inferior del tallo un trozo de 7.5 cm (3 in). Usando el revés del filo de un cuchillo de chef presione el trozo de lemongrass, aplanando el tallo y rompiendo algunas de sus fibras para que suelte su aroma.

En una olla pequeña mezcle el azúcar con ⅓ taza de agua y lleve a ebullición sobre fuego medio-alto. Hierva lentamente alrededor de 2 minutos, girándola ocasionalmente, hasta que se disuelva el azúcar; retírela del fuego Agregue el lemongrass, tape y deje enfiar por completo, aproximadamente 30 minutos.

Cuele la miel de lemongrass a través de un colador de malla fina colocado sobre un tazón grande, presionando sobre el tallo con el revés de una cuchara para extraer la mayor cantidad de miel que le sea posible; deseche el lemongrass.

Agregue las frambuesas a la miel y mezcle suavemente. Divida las frambuesas y la miel entre 6 tazones. Cubra con la crema batida y sirva de inmediato.

Este nuevo giro en la combinación clásica de frambuesas y crema captura la suave esencia acitronada y toque herbal del lemongrass. Es una forma sencilla de resaltar la fragancia y sabor floral de las rojas frambuesas maduras.

cobbler de durazno blanco con jengibre cristalizado

El jengibre cristalizado resplandece con el sabor de pimienta picante que tiene el jengibre fresco, pero con una potencia tamizada por la dulzura. Los pequeños trozos de jengibre horneados en la cubierta del panqué proporcionan una inesperada consistencia chiclosa y un sabor a especia que resalta la fragancia de los duraznos blancos. El jugoso relleno del cobbler se sazona con el jengibre fresco rallado para agregarle magnitud.

Ponga a hervir agua en una olla grande. Precaliente el horno a 190°C (375°F). Mientras tanto, llene un tazón grande con agua con hielo. Marque una X en la parte inferior de cada durazno. Sumerja los duraznos en el agua hirviendo, por tandas, y cocine entre 15 y 60 segundos, dependiendo de la madurez de la fruta, hasta que la piel se les empiece a abrir y desprender. Usando una cuchara ranurada, pase los duraznos al baño de agua con hielo para enfriar.

Retire la piel de los duraznos, parta a la mitad, retire el hueso y rebane; coloque en un tazón grande. Haga 2 cucharaditas de ralladura fina de un limón y exprima 2 cucharadas de jugo; integre ambos con los duraznos. Añada el jengibre fresco rallado, azúcar granulada, fécula de maíz y una pizca de sal a los duraznos; mezcle suavemente.

En un procesador de alimentos mezcle las 2 tazas de harina, el polvo para hornear y ½ cucharadita de sal. Añada el jengibre cristalizado y pulse brevemente para integrar. Agregue la mantequilla al procesador de alimentos y pulse hasta que la mezcla parezca carne molida. Pase la mezcla a un tazón grande, agregue 1 ¼ taza de crema y mezcle hasta que la masa se junte. Coloque la masa sobre una superficie de trabajo ligeramente enharinada y amase 2 ó 3 veces para unirla y darle forma de bola. Haga un círculo de masa de aproximadamente 1 cm (½ in) de grueso y use un cuchillo para cortar la masa en 8 rebanadas iguales.

Pase la mezcla de durazno a un refractario de 33 x 23 x 5 cm (13 x 9 x 2 in) y acomode las rebanadas de masa sobre los duraznos en dos filas de 4 piezas, alternando las puntas. Barnice las rebanadas con crema y espolvoree uniformemente con el azúcar turbinado. Hornee durante 25 minutos. Tape holgadamente el refractario con papel aluminio y continúe horneando alrededor de 10 ó 20 minutos más, hasta que la superficie esté bien dorada y los jugos burbujeen. Deje enfriar, destapado, por lo menos durante 20 minutos. Para servir, coloque el cobbler caliente en tazones, cubra con cucharadas de helado y sirva de inmediato.

duraznos blancos, 10

limón, 1

jengibre fresco, un trozo de 3 ½ cm (1 ½ in), sin piel y rallado

azúcar granulada, ⅓ taza

fécula de maíz, 2 cucharadas

sal

harina de trigo, 2 tazas más la necesaria para espolvorear

polvo para hornear, 2 cucharaditas

jengibre cristalizado, ½ taza, picado toscamente

mantequilla sin sal fría, 4 cucharadas, cortada en trozos de 1 cm (½ in)

crema dulce para batir, 1 ¼ taza más la necesaria para barnizar

azúcar turbinado o azúcar moreno, ¼ taza

helado de vainilla de buena calidad, para acompañar

RINDE 8 PORCIONES

pudines veraniegos de zarzamora

brioche, 1 barra (500 g/1 lb)

zarzamoras, 1 kg (4 pt)

azúcar, ¾ taza

sal, una pizca

limón agrio, 1

crème fraîche (página 144 o comprada), para acompañar

RINDE 6 PORCIONES

Precaliente el horno a 120°C (250°F). Corte el brioche en doce rebanadas de 1 cm (¹⁄₂ in). Usando un mezclador de varillas de 9 cm (3 ¹⁄₂ in), corte círculos de 6 de las rebanadas. Retire las orillas de las 6 rebanadas restantes. Coloque los 6 círculos sobre una charola para hornear y hornee 1 ¹⁄₂ ó 2 horas, hasta que se sequen. En una olla de material no reactivo mezcle las zarzamoras, azúcar y sal. Prepare una cucharadita de ralladura fina de limón y exprima una cucharada de jugo; agregue ambos a la olla. Cocine la mezcla de zarzamoras sobre fuego medio durante 8 ó 9 minutos, moviendo de vez en cuando, hasta que aproximadamente la mitad de las moras se hayan reventado. Escurra en un colador de malla fina colocado sobre un tazón durante 10 minutos.

Mientras tanto, cubra seis ramekins o refractarios individuales con trozos de plástico adherente lo suficientemente grandes para que los lados que cuelguen de las orillas midan aproximadamente 7.5 cm (3 in).

Retire el colador con las zarzamoras del tazón y reserve. Sumerja ligeramente las rebanadas de pan, una por una, en el jugo de zarzamora hasta que el pan esté suave pero no se desbarate. A medida que remoja cada rebanada, colóquela en uno de los ramekins preparados, presionándola sobre las orillas y lados. Si el pan se rompe, simplemente presiónelo para unirlo. Divida las zarzamoras entre los refractarios cubiertos con pan. Remoje ligeramente los círculos de pan en el jugo de zarzamora restante y coloque un círculo sobre cada refractario; el pan debe quedar sobre el borde de los moldes. Envuelva herméticamente cada refractario en plástico adherente y colóquelo sobre una charola para hornear con borde. Coloque otra charola para hornear con borde sobre los refractarios y agregue peso poniéndole bolsas de frijoles crudos o latas de alimentos, Refrigere los refractarios por lo menos durante 8 horas o hasta por 2 días.

Cuando vaya a servir, desenvuelva los refractarios e inviértalos sobre platos. Jale las orillas del plástico mientras gira los refractarios. Sirva los pudines fríos o a temperatura ambiente acompañando con cucharadas de crème fraîche.

El brioche está hecho con leche, huevos y toda la mantequilla que la masa para pan pueda llevar agregando suntuosidad a este sencillo postre. La fina textura del pan, similar a la de un pastel, se remoja con el jugo entintado de zarzamoras frescas del verano para crear una deliciosa envoltura. La cucharada de crème fraîche que se agrega justo antes de servirlos proporciona una mayor riqueza además del delicioso sabor que compensa la intensidad del pudín agridulce.

El dulce y fresco elote de granja da un brinco del platillo para la cena a un tazón de helado presentándose en un postre sorprendentemente original. El cremoso y escarchado helado de elote, bañado con un puré fresco de zarzamora celebra deliciosamente las bondades que nos regala el verano.

helado de elote dulce con salsa de zarzamora

elote amarillo dulce fresco, 4 mazorcas

media crema, 3 tazas

crema dulce para batir, 1 taza más la necesaria

azúcar, ⅔ taza más ½ taza

sal, una pizca

zarzamoras, 750 g (2½ pt)

jugo de limón amarillo fresco, 1 cucharadita

RINDE 1 LITRO DE HELADO; 6 PORCIONES

Retire las hojas y hebras del elote. Usando un cuchillo de chef desgrane las mazorcas. Coloque los granos y las mazorcas de elote en una olla grande con la media crema y la crema dulce. Añada ⅔ taza de azúcar y la sal; lleve a ebullición sobre fuego medio-alto. Reduzca el fuego a medio-bajo y hierva lentamente, tapado, durante 5 minutos, moviendo de vez en cuando. Retire del fuego y deje remojar por lo menos 3 horas o durante toda la noche. (Si remoja durante más de 3 horas, refrigere la mezcla).

Cuele la mezcla de elote a través de un colador de malla fina. Usando sus manos, exprima las mazorcas y presione sobre los granos de elote con ayuda de una cuchara para extraer todo el líquido posible; deseche las mazorcas y los granos de elote. Mida el líquido; deberá obtener aproximadamente 3 tazas. Si no es así, agregue más crema. Tape y refrigere la mezcla con infusión de elote por lo menos durante 3 horas o hasta por 8 horas.

En una olla de material no reactivo sobre fuego medio-alto lleve a ebullición la ½ taza de azúcar con ¼ taza de agua. Agregue 500 g (2 pt) de las zarzamoras y mezcle. Reduzca el fuego a medio y cocine alrededor de 8 minutos, moviendo ocasionalmente, hasta que las zarzamoras se desbaraten. Pase la mezcla a una licuadora y agregue el jugo de limón. Haga un puré con la mezcla de zarzamoras y pase a través de un colador de malla fina. Tape y refrigere hasta el momento de servir.

Congele la mezcla fría infundida con elote en una máquina para hacer helado siguiendo las instrucciones del fabricante. Si lo desea, almacénelo en un recipiente con cierre hermético y congele hasta que esté muy firme.

Para servir, coloque bolas de helado en tazones, rocíe con la salsa de zarzamora, cubra con algunas de las zarzamoras restantes y sirva de inmediato.

La dulzura natural del maíz recién cosechado se combina con la crema para crear un helado poco común pero delicioso. Con un toque de salsa de zarzamora fresca que es un contrapunto afrutado para el delicioso helado, este refrescante postre captura al verano en un tazón.

tarta de té negro y frambuesa

El té Earl Grey aromatiza el relleno sedoso de esta tarta con misteriosos toques de cítrico y vainilla además de darle una insinuación de ahumado. Los suaves sabores de vainilla se perciben en la sencilla masa para tarta y los toques florales de las frambuesas frescas proporcionan un acabado elegante.

Usando sus dedos, presione la masa para tarta sobre la base y lados de un molde ondulado para tarta de 24 cm (9 ¹/₂ in) con base desmontable. Use la parte inferior de una taza de metal para medir espolvoreada con harina para aplanar y alisar la masa. Retire y deseche el exceso de masa, si lo hubiera, alrededor de las orillas del molde y congele la corteza para tarta por lo menos durante una hora o hasta por 2 días.

Mientras tanto, en una olla pequeña lleve la crema a ebullición. Cuando suelte el hervor retire del fuego, agregue las bolsas de té, tape y deje remojar durante 5 minutos. Exprima suavemente las bolsas de té entre 2 cucharas para extraer la mayor cantidad de líquido posible; deseche las bolsas de té. Pase la crema con infusión de té a un tazón pequeño, tape y refrigere por lo menos durante una hora, hasta que esté fría, o hasta por 2 días.

Precaliente el horno a 190°C (375°F). Cubra la corteza congelada para tarta con una hoja grande de papel aluminio, dejando que las orillas cuelguen a los lados del molde. Cubra la corteza con pesos para pay. Hornee durante 25 minutos, retire el papel y los pesos y continúe horneando la corteza durante 5 ó 10 minutos más, hasta que se dore. Deje enfriar por completo sobre una rejilla de alambre.

Vierta ¹/₄ taza de agua hacia una olla pequeña y espolvoree la superficie con la grenetina. Deje reposar durante 15 minutos y caliente la mezcla sobre fuego bajo alrededor de 2 minutos, moviendo a menudo, hasta que se disuelva la grenetina. Reserve. En un procesador de alimentos mezcle la crema fría con infusión de té, azúcar granulada, crème fraîche y sal y procese hasta integrar. Agregue la mezcla de grenetina caliente y procese hasta integrar por completo. Vierta el relleno dentro de la corteza para tarta fría y extiéndalo uniformemente dejando una pequeña elevación en el centro. Acomode las frambuesas sobre el relleno, tape holgadamente con plástico adherente y refrigere por lo menos 6 horas o durante toda la noche. Retire la tarta del molde y coloque sobre un plato o platón para pastel. Cierna azúcar glass sobre la tarta, rebane y sirva.

masa para tarta de vainilla (página 143)

harina de trigo

crema dulce para batir, 1 taza

bolsas de té earl grey, 2

grenetina sin sabor, 1 cucharada (aproximadamente 2 sobres)

azúcar granulada, 1 taza

crème fraîche (página 144 o comprada), 1 taza

sal, una pizca

frambuesas, 750 g (3 pt)

azúcar glass, para espolvorear

RINDE 8 PORCIONES

nectarinas caramelizadas con zabaglione de moscato d'asti

nectarinas, de preferencias sin hueso, 6

miel de abeja, 1 cucharada

aceite en aerosol

azúcar, ½ taza

yemas de huevo, 4

moscato d'asti, ⅓ taza

sal, una pizca

RINDE 6 PORCIONES

Parta las nectarinas a la mitad y retire el hueso; córtelas en rebanadas de 1 cm (½ in). Coloque las rebanadas en un tazón grande, rocíe con la miel de abeja y mezcle hasta cubrir.

Coloque una rejilla a 7.5 cm ó 10 cm (3- 4 in) de la fuente de calor y precaliente el asador de su horno a temperatura alta. Cubra con papel aluminio una charola para hornear con borde y rocíe ligeramente con aceite en aerosol.

Ponga en un tazón ¾ taza del azúcar y sumerja en ella uno de los lados cortados de cada rebanada de nectarina. Coloque las rebanadas, con el lado azucarado hacia arriba, sobre la charola para hornear y ase durante 2 ó 4 minutos, hasta que el azúcar burbujee y las nectarinas se empiecen a dorar; revise a menudo ya que el calor de los asadores puede variar. Deje reposar para que se enfríe.

Mientras tanto, para hacer el zabaglione, lleve a ebullición lenta 3.5 cm (1 ½ in) de agua en una olla. En un tazón grande de acero inoxidable bata las yemas de huevo, moscato d'asti, sal y el ¼ taza restante de azúcar. Coloque el tazón sobre la olla, asegurándose de que la base no toque el agua hirviendo. Cocine la mezcla durante 6 u 8 minutos, batiendo constantemente, hasta que esté clara y espesa. Retire el tazón de la olla.

Divida las nectarinas entre tazones o platos para postre, cubra con el zabaglione y sirva de inmediato.

El deslumbrante moscato d'Asti proporciona una afrutada y amielada esencia al zabaglione, una salsa italiana similar a la natilla. En este postre el zabaglione agrega riqueza a las nectarinas maduradas en el árbol, cuya textura se suaviza, sus sabores se concentran y sus azúcares se caramelizan bajo el intenso y corrosivo calor de un asador.

Las aromáticas cinco especias son un sazonador ubicuo dentro de la cocina china. Aquí, su atrevido e intrigante sabor cálido, apimentado y natural, proporciona un acento delicioso y original a las jugosas y rollizas ciruelas del verano en estas encantadoras tartaletas individuales.

tartaletas de ciruela
con infusión de cinco especias

jengibre fresco, un trozo de 2.5 cm (1 in), sin piel y rallado

mantequilla sin sal, 3 cucharadas, a temperatura ambiente

azúcar, 4 cucharadas

harina de trigo, 1 cucharada más la necesaria para espolvorear

sal, una pizca

polvo chino de cinco especias, cucharadita

ciruelas, 4

limón agrio, ½

pasta de hojaldre hecha con mantequilla, congelada, 500 g, descongelada

RINDE 6 TARTALETAS

En un tazón pequeño mezcle el jengibre con la mantequilla, 3 cucharadas del azúcar, una cucharada de harina y la sal. Reserve.

En un tazón mezcle la cucharada restante de azúcar con el polvo de cinco especias. Parta las ciruelas a la mitad y retire el hueso, córtelas en cubos de 1 ó 2 cm (½ – ¾ in). Coloque las ciruelas en el tazón con el azúcar y el polvo de cinco especias. Exprima el jugo de medio limón sobre las ciruelas y mezcle.

Coloque la pasta de hojaldre sobre una superficie de trabajo ligeramente enharinada y espolvoree la superficie con harina. Extienda la pasta haciendo un rectángulo de 30 x 20 cm (12 x 8 in). Corte el rectángulo longitudinalmente a la mitad y parta cada mitad transversalmente en tercios; deberá tener seis cuadros de 10 cm (4 in). Sacuda el exceso de harina de la masa. Pique los cuadros de masa por todos lados con un tenedor y colóquelos en seis moldes para tartaleta de 7.5 cm (3 in), presionando la pasta sobre la base y lados de los moldes. Presione y deseche el exceso de masa que cuelgue a los lados sobre los moldes.

Extienda aproximadamente ½ cucharada de la mezcla de mantequilla y jengibre sobre la base de cada tartaleta, cubra con las ciruelas, dividiéndolas uniformemente. Refrigere las tartaletas sobre una charola para hornear con borde durante 30 minutos.

Precaliente el horno a 200°C (400°F).

Hornee las tartaletas sobre una charola para hornear durante 10 minutos, reduzca la temperatura a 190°C (375°F) y continúe horneando alrededor de 10 minutos, más hasta que se esponje y dore alrededor de las orillas. Deje que las tartaletas se enfríen por completo sobre una rejilla de alambre.

Retire las tartaletas de sus moldes y sirva sobre platos individuales.

En estas tartaletas, el polvo de cinco especias infunde a las agridulces ciruelas maduras con un cálido y exótico sabor y con toques fragantes, mientras que el jengibre fresco les proporciona un picor apimentado. La mantequilla del relleno y de las cortezas de pasta se mezcla con las especias haciendo que tengan un sabor completo e intenso.

otoño

galette de **manzana** con caramelo salado

manzanas, de preferencia Crispin o Pink Lady, 3

limón amarillo, 1

azúcar granulada, 1⅓ taza

canela molida, ½ cucharadita

sal, una pizca

harina de trigo

masa básica para galette (página 143)

huevo, 1

azúcar turbinado o moreno 2 cucharadas

mantequilla sin sal, 2 cucharadas

crema dulce para batir, ½ taza

ron oscuro, 3 cucharadas

fleur de sel o sal de mar, ½ cucharadita

RINDE DE 6 A 8 PORCIONES

Precaliente el horno a 200°C (400°F). Cubra con papel encerado para hornear una charola para hornear con bordes. Pele las manzanas, parta a la mitad, descorazone, corte en rebanadas de ½ cm (¼ in) de grueso y coloque en un tazón. Prepare ralladura fina de limón y agréguela al tazón. Exprima una cucharada de jugo de limón sobre las manzanas. Añada ⅓ taza de azúcar granulada, la canela y la sal; mezcle.

Sobre una superficie de trabajo ligeramente enharinada extienda la masa haciendo un círculo de 38 cm ó 40 cm (15-16 in) de aproximadamente ½ cm (½ in) de grueso. Doble la masa en cuadros y desdoble sobre la charola preparada. Acomode las manzanas en el centro de la masa dejando libre una orilla de 7 ½ cm (3 in). Doble las orillas de la masa sobre las manzanas plegándola holgadamente y dejando la galette abierta en el centro. En un tazón bata el huevo con una cucharada de agua. Barnice la masa con la mezcla de huevo y espolvoree con el azúcar turbinado. Corte una cucharada de la mantequilla en trozos pequeños y reparta sobre las manzanas. Refrigere la galette durante 30 minutos. Hornee alrededor de 30 ó 40 minutos, hasta que la corteza esté muy dorada. Deje enfriar en la charola para hornear colocándola sobre una rejilla de alambre.

Mientras tanto, en una olla grande mezcle la cucharada restante de azúcar granulada con 3 cucharadas de agua. Tape y lleve a ebullición sobre fuego medio, revisando el azúcar a menudo. Cuando el azúcar empiece a derretirse, destape y gire la olla ocasionalmente hasta que el azúcar se disuelva, alrededor de 5 minutos. Continúe hirviendo lentamente, sin tapar, alrededor de 3 ó 5 minutos más, hasta que el azúcar se convierta en un caramelo de color ámbar oscuro. Retire del fuego, agregue la crema con cuidado (el caramelo siseará y burbujeará vigorosamente) y bata hasta obtener una mezcla tersa. Integre, batiendo, la cucharada restante de mantequilla, el ron y la fleur de sel. Deje enfriar ligeramente. Para servir, pase la galette a un platón o a una tabla de picar, corte en rebanadas, divida entre los platos de servicio y rocíe con el caramelo.

Una medida generosa de sal de mar resalta el seductor sabor semiamargo del caramelo que se rocía sobre esta tarta hecha sin molde justo antes de servir. El resultado es un fuerte sabor a caramelo que combina a la perfección con las suaves manzanas con esencia de limón envueltas en una corteza hojaldrada y amantequillada

tarta de higos frescos con corteza amaretti

En esta receta las galletas amaretti molidas proporcionan su esencia a almendra y su textura crujiente a una sencilla masa prensada para tarta; y las semillas de anís le agregan un toque de orozuz. El relleno exhibe rollizos y amielados higos con un sabor distintivo a licor de naranja y aromática ralladura.

Coloque los higos deshidratados en un tazón pequeño. Vierta el Grand Marnier sobre los higos y deje reposar por lo menos una hora o durante toda la noche.

Coloque una rejilla en el tercio inferior del horno y precaliente a 200°C (400°F).

En un procesador de alimentos mezcle 1 ¼ taza de harina, las galletas amaretti, semillas de anís y sal; procese hasta que las galletas estén finamente molidas. Agregue la mantequilla al procesador de alimentos y pulse hasta que los trozos de mantequilla sean del tamaño de un chícharo pequeño. Vierta 4 cucharadas de agua con hielo sobre la mezcla de harina y pulse para mezclar. Presione un trozo pequeño de masa: si no se mantiene unida agregue otra cucharada de agua con hielos y pulse para mezclar. Vacíe la masa sobre una superficie de trabajo ligeramente enharinada y amase unas cuantas veces, hasta que se junte. Presione para formar un disco. Sumerja las yemas de sus dedos en harina y presione la masa sobre la base y lados de un molde cuadrado para tarta de 23 cm (9 in) con lados ondulados y base desmontable. Use la base de una taza de metal para medir espolvoreada con harina para aplanar y nivelar la masa. Retire el exceso de masa de las orillas del molde. Pique la base de la masa con un tenedor y hornee alrededor de 12 ó 15 minutos, hasta que empiece a tomar color. Deje enfriar sobre una rejilla de alambre. Reduzca la temperatura del horno a 190°C (375°F).

Mezcle los higos deshidratados con el Grand Marnier, crema, ⅓ taza de azúcar y la ralladura de naranja en una licuadora hasta que los higos deshidratados se rompan en trozos diminutos. Corte los higos frescos longitudinalmente en cuartos, colóquelos en el tazón, espolvoree con la cucharada restante de azúcar y mezcle hasta cubrir. Acomode los higos frescos en la corteza para tarta, con los lados cortados hacia arriba. Coloque la tarta sobre una charola para hornear con borde y bañe con la mezcla de crema. Hornee la tarta alrededor de 30 minutos, hasta que el relleno se mueva muy ligeramente. Deje enfriar por completo sobre una rejilla de alambre. Retire la tarta del molde, rebane y sirva.

higos deshidratados, de preferencia libres de sulfato, 4, picados

Grand Marnier, 3 cucharadas

harina de trigo, 1¼ taza más la necesaria

galletas italianas amaretti, ¾ taza

semillas de anís, 1 cucharadita

sal, ¼ cucharadita

mantequilla sin sal fría, 7 cucharadas, cortada en trozos de 1 cm (½ in)

agua con hielo, 4 ó 5 cucharadas

crema dulce para batir, ¾ taza

azúcar, ⅓ taza más 1 cucharada

ralladura de naranja, 1 cucharadita, finamente rallada

higos frescos black mission, 225 g (½ lb) (aproximadamente 8 higos)

RINDE 8 PORCIONES

Las nueces tostadas combinadas con buttermilk y azúcar mascabado agregan personalidad a una nueva versión del clásico pay de calabaza. Con estos deliciosos ingredientes naturales dentro de la corteza crujiente y relleno cremoso, esta versión proporciona sabores especialmente cálidos y caseros.

pay de calabaza y azúcar mascabado con corteza de nuez tostada

El azúcar mascabado, húmedo y rico en melaza, y el buttermilk ácido agregan intensidad a este relleno para pay de calabaza que de otra forma sería el tradicional. Se hornea en una sencilla corteza similar a una galleta presionada hecha al moler nueces tostadas y mezclándolas con mantequilla, harina y azúcar. El resultado es un postre casero lleno de calidez y sabor natural.

Coloque una rejilla en la parte inferior del horno y otra en el centro. Precaliente el horno a 175°C (350°F).

Tueste las nueces en una charola para hornear con borde colocada en la rejilla del centro durante 5 ó 6 minutos, hasta que aromaticen y estén ligeramente doradas. Vacíe sobre un plato, deje enfriar y muela finamente en un procesador de alimentos; tenga cuidado de no sobre procesarlas. En un tazón grande, usando una cuchara de madera, bata la mantequilla con el azúcar granulada hasta integrar por completo. Integre las yemas de huevo y las sal de mar, batiendo. Añada las nueces molidas y 1 ¼ taza de harina e integre los ingredientes secos con la mezcla de mantequilla presionándola sobre los lados del tazón, hasta que la masa se junte formando migas ásperas.

Sobre una superficie de trabajo ligeramente enharinada presione la masa haciendo un montículo y amásela hasta que se junte. Presione la masa dándole forma de disco plano y páselo a un molde para pay de 23 cm (9 in). Presione la masa uniformemente sobre la base y lados del molde. Use la base de una taza de metal para medir espolvoreada con harina para emparejar y alisar la masa. Ondule las orillas usando los dientes de un tenedor y congele la corteza de pay durante 30 minutos. Mientras tanto, en un procesador de alimentos mezcle el azúcar mascabado con la canela, jengibre, nuez moscada, clavo y sal; procese hasta obtener una mezcla tersa. Agregue el puré de calabaza, buttermilk y huevos enteros; procese hasta integrar.

Coloque la corteza congelada para pay sobre una charola para hornear con borde. Vierta el relleno dentro de la corteza y hornee sobre la rejilla del centro del horno durante 30 minutos. Retire el pay de la charola para hornear y pásela directamente a la rejilla inferior del horno. Hornee durante 10 ó 15 minutos más, hasta que el centro se mueva muy poco al golpear el pay ligeramente. Deje enfriar por completo sobre una rejilla de alambre.

Para servir, corte en rebanadas y cubra con crema batida.

nueces en mitades, ½ taza

mantequilla sin sal, ½ taza, a temperatura ambiente

azúcar granulada, ⅓ taza

yema de huevo, 1

sal de mar, como la maldon, 1 cucharadita

harina de trigo, 1¼ taza más la necesaria

azúcar mascabado oscuro, 1 taza compacta

canela molida, 2 cucharaditas

jengibre molido, 2 cucharaditas

nuez moscada recién rallada, 1 cucharadita

clavo molido, ¼ cucharadita

sal, ½ cucharadita

puré de calabaza, 1 lata (440 ml/15 oz)

buttermilk o yogurt, ¾ taza

huevos, 3

crema dulce batida (página 144), para acompañar

RINDE 8 PORCIONES

pastel volteado de pera a las especias

mantequilla sin sal,
¾ taza más 5 cucharadas,
a temperatura ambiente,
más la necesaria para
engrasar

azúcar mascabado claro,
⅔ taza compacta

miel de maple,
2 cucharadas

**peras maduras, de
preferencia Bartlett o
Anjou,** 2

azúcar granulada, ¾ taza
más 1 cucharada

canela molida, 1 cucharadita

cardamomo molido,
1 cucharadita

clavo molido, ¼ cucharadita

harina de trigo, 1½ taza

polvo para hornear,
2 cucharaditas

sal, 1 cucharadita

leche entera, ¾ taza

extracto puro de vainilla,
2 cucharaditas

huevos, 2

RINDE 8 PORCIONES

Precaliente el horno a 175°C (350°F). Engrase con mantequilla un molde redondo para pastel de 23 cm (9 in).

En un tazón, con ayuda de una cuchara de madera, bata vigorosamente las 5 cucharadas de mantequilla con el azúcar mascabado y la miel de maple, hasta integrar por completo. Extienda esta mezcla sobre la base del molde preparado para pastel.

Retire la piel de las peras, parta a la mitad, descorazone y corte en rebanadas de ½ cm (¼ in) de grueso. Coloque las peras en un tazón; espolvoree con la cucharada de azúcar granulada, la canela, cardamomo y clavo; mezcle suavemente para cubrir. Acomode las peras en la base del molde, abriendo en abanico y sobreponiéndolas ligeramente de manera que las puntas estrechas apunten hacia fuera; use las rebanadas pequeñas para rellenar los hoyos.

En un tazón bata la harina con el polvo para hornear y sal. Vierta la leche y la vainilla en una taza para medir líquidos. Usando una batidora de mesa a velocidad media-alta bata ¾ taza de mantequilla con ¾ taza de azúcar granulada durante 1 ó 2 minutos, hasta que la mezcla esté clara y esponjada. Integre los huevos, uno a la vez, bajando lo que quede en los lados del tazón después de cada adición. Reduzca la velocidad de la batidora a baja y agregue los ingredientes secos en 3 tandas, alternando con la mezcla de leche en 2 tandas. Eleve la velocidad de la batidora a media-alta y bata durante 2 minutos para esponjar. Pase la masa al molde para pastel y extiéndala uniformemente. Hornee durante 60 ó 70 minutos, hasta que un probador para pastel insertado en el centro salga limpio.

Inmediatamente coloque un plato grande, de por lo menos 25 cm (10 in) de diámetro, invertido sobre el pastel. Voltee cuidadosamente el pastel y el plato, levante el molde agitándolo suavemente si fuera necesario para desprender el pastel. Deje enfriar por lo menos durante 30 minutos, corte en rebanadas y sirva.

El intenso sabor del clavo es mejor cuando se usa en pequeñas cantidades. En esta receta un toque mínimo de clavo complementa a las especias más suaves así como al azúcar mascabado y a la miel de maple. A medida que se hornean las peras rebanadas sueltan jugos dulces que se mezclan con las especias aromáticas y remojan el delicioso y amantequillado pastel.

El queso azul, con su toque atrevido y salado, por lo general, se reserva para platillos sazonados pero la tarta de otoño con manzanas crujientes sugiere una combinación diferente.

Las manzanas horneadas con sabor afrutado, salado, dulce y a especias rellenas de queso azul es un postre con capas de delicioso sabor.

manzanas horneadas con queso azul, pimienta negra y miel de abeja

manzanas, de preferencia cortland o pippin, 4

miel de abeja, ½ taza más 1 cucharada

limón amarillo, ½

sidra de manzana, 1 taza

clavo entero, 8

piezas de anís estrella, 3

rajas de canela, 2

queso azul, 85 g (3 oz)

pimienta recién molida, 1 cucharadita más la necesaria para adornar

crema dulce para batir, ¼ taza

RINDE 4 PORCIONES

Precaliente el horno a 175°C (350°F).

Corte un trozo en forma de cono de 5 cm (2 in) de grueso en el lado de floración de cada manzana. Usando un cortador para hacer bolitas de melón retire los corazones casi hasta llegar hasta abajo. Usando un cuchillo mondador haga marcas alrededor de la circunferencia del tercio inferior de cada manzana para evitar que se abra durante el horneado.

Coloque las manzanas en un refractario cuadrado de 20 cm (8 in). Rocíe con la ½ taza de miel de abeja y exprima el jugo del ½ limón sobre las manzanas. Vierta la sidra sobre las manzanas y alrededor de ellas. Coloque el clavo, anís estrella y rajas de canela en el refractario. Hornee las manzanas durante 50 ó 60 minutos, hasta que un cuchillo mondador se resbale fácilmente hasta el centro.

Mientras hornea las manzanas, desmorone el queso y mida ½ taza ligeramente compacta; reserve el queso restante para adornar. En un tazón pequeño machaque el queso azul, la cucharada de miel de abeja, la pimienta y la crema. Retire las manzanas del horno y rellene el centro de cada una con la mezcla de queso azul, dividiéndolo uniformemente. Deje enfriar las manzanas rellenas durante 10 ó 15 minutos.

Adorne las manzanas con unos trozos del queso azul que reservó desmoronado y un poco de pimienta. Pase las manzanas a tazones, rocíe con un poco de los jugos de la sartén y sirva de inmediato.

Este nuevo giro de las clásicas manzanas horneadas enturbia la línea entre lo dulce y lo sazonado. El fuerte queso azul es el ingrediente principal en esta receta; las especias aromáticas y la dulce miel de abeja juegan papeles secundarios. Las manzanas se rellenan después de horneadas y su calor funde a todos los robustos sabores dulces y salados.

pudín de arroz y coco con peras asiáticas al jengibre

Las peras asiáticas saben a una cruza entre las manzanas y las peras tradicionales, pero tienen un aroma fresco de pino y una textura arenosa particular.

Trozos de esta fruta crujiente realzados con el jengibre fresco con sabor de especia proporcionan una personalidad refrescante a este sustancioso y cremoso pudín de arroz gracias a la media crema y a la leche de coco.

En una olla grande mezcle el arroz, 3 ½ tazas de la media crema, la leche de coco, azúcar y sal y lleve a ebullición sobre fuego alto. Cuando suelte el hervor, reduzca el fuego a medio-bajo, tape y cocine entre 20 y 30 minutos, moviendo una o dos veces, hasta que el arroz esté suave. Deje reposar para que se enfríe ligeramente o refrigere; el pudín de arroz se puede servir caliente, a temperatura ambiente o frío.

Para tostar el coco, precaliente el horno a 190°C (375°F). Coloque el coco sobre una charola para hornear con borde y hornee durante 6 u 8 minutos, moviendo a la mitad del horneado, hasta que se dore y aromatice. Pase a un tazón pequeño y deje enfriar.

Cuando vaya a servir, retire la piel de las peras asiáticas, parta a la mitad, descorazone y parta en cubos de 1 cm (½ in) aproximadamente. Ponga las peras en un tazón con el jengibre y el azúcar mascabado y mezcle suavemente para cubrir.

Integre la ½ taza restante de media crema al pudín de arroz. Usando una cuchara pase el pudín a tazones, cubra con las peras, espolvoree con el coco tostado y sirva de inmediato.

arroz basmati, 1½ taza

media crema, 4 tazas

leche de coco sin endulzar, 1 lata (400 ml/14 oz)

azúcar, 1 taza

sal, una pizca

coco deshidratado sin endulzar, 1½ taza

peras asiáticas, 2

jengibre fresco, un trozo de 2.5 cm (1 in), sin piel y rallado

azúcar mascabado claro, 2 cucharadas compactas

RINDE 8 PORCIONES

pudín de pérsimo al vapor con crema batida de whiskey bourbon

mantequilla sin sal, 7
cucharadas, derretida, más
la necesaria para engrasar

azúcar, 1 taza más
2 cucharadas

whiskey bourbon, ⅓ taza

grosellas secas, ½ taza

harina de trigo, 1 taza

canela molida,
1 cucharadita

cardamomo molido,
1 cucharadita

clavo molido, ¼ cucharadita

sal, ½ cucharadita

naranja, 1

bicarbonato de sodio,
2 cucharaditas

pérsimos Hachiya suaves
y maduros, 3

huevo, 1

extracto puro de vainilla,
2 cucharaditas

crema dulce batida
(página 144)

RINDE 8 PORCIONES

Coloque un vaporizador plegable dentro de una olla grande lo suficientemente ancha y alta para dar cabida a un molde ondulado para pudín con capacidad de 1 litro (1 ½ qt). Agregue suficiente agua a la olla para que llegue hasta la base del vaporizador. Engrase generosamente con mantequilla el interior del molde para pudín. Espolvoree la base y los lados con 2 cucharadas de azúcar y agite el molde para cubrirlo uniformemente. Sacuda y deseche el exceso de azúcar.

En una olla pequeña a fuego lento hierva el whiskey bourbon. Cuando suelte el hervor, agregue las grosellas, tape y retire del fuego. En un tazón bata la harina con la canela, cardamomo, clavo y sal.

Prepare ralladura fina de la naranja y póngala en el procesador de alimentos con la cucharada de azúcar. Exprima 2 cucharadas de jugo de naranja en un tazón pequeño. Integre el bicarbonato de sodio y reserve. Procese el azúcar con la ralladura de naranja alrededor de 10 ó 15 segundos, hasta que el azúcar aromatice y se tiña de anaranjado. Parta los pérsimos a la mitad, retire las semillas grandes y coloque la pulpa en el procesador. Agregue el huevo y la vainilla. Procese hasta obtener una mezcla tersa y añada la mezcla de jugo de naranja; procese para integrar. Pase la mezcla a un tazón grande e incorpore, batiendo, la mezcla de harina con especias.

Coloque la olla grande sobre la estufa y lleve el agua a ebullición sobre fuego alto. Cuele las grosellas, reservando el whiskey e intégrelas con la masa junto con la mantequilla derretida. Pase la masa al molde preparado, haga un orificio en la cubierta, y coloque el molde en el vaporizador. Reduzca el fuego de manera que el agua mantenga una ebullición suave y tape la olla. Cocine durante 1 ½ ó 1 ¾ hora. Retire el molde de la olla y deje enfriar durante 10 minutos, invierta el pudín sobre un platón y deje enfriar por completo.

Para servir, bata 2 ó 3 cucharadas del whiskey reservado con la crema batida. Rebane el pudín y sirva acompañando con la crema batida al whiskey.

La cremosa y densa pulpa de los pérsimos Hachiya, totalmente maduros, es tan dulce como la miel y tiene la propiedad de ser natural y ligeramente fragante. En este pudín jugoso, similar a un pastel, los pérsimos y las aromáticas especias cálidas se reúnen para crear un delicioso postre casero.

membrillo hervido con queso mascarpone, caramelo, y galletas de jengibre

El espeso y sustancioso queso mascarpone sabe a crema fresca con un ligero sabor a mantequilla. Combina perfectamente con el membrillo que es similar a las manzanas y peras, cuyo delicado aroma floral surge al hervirlo suavemente en vino Riesling con especias. Un toque de caramelo le proporciona un sabor semiamargo y las galletas de jengibre molidas le agregan textura a este postre sencillo pero sumamente elegante.

Vierta el vino Riesling en una olla profunda de material no reactivo. Agregue una taza de azúcar, las rajas de canela, anís estrella y granos de pimienta y lleve a ebullición sobre fuego medio-alto.

Retire la piel de los membrillos y parta a la mitad. Coloque las mitades de membrillo en el vino hirviendo, vuelva a llevar a ebullición y, cuando suelte el hervor, reduzca el fuego a medio-bajo. Tape y cocine alrededor de una hora, hasta que un cuchillo mondador se pueda introducir fácilmente dentro de los membrillos (los corazones aún estarán ligeramente firmes). Deje enfriar los membrillos en el líquido de cocimiento.

En una olla gruesa mezcle la taza restante de azúcar con 3 cucharadas de agua. Tape y lleve a ebullición sobre fuego medio-alto, revisando el azúcar a menudo. Una vez que el azúcar empiece a derretirse, destape y gire la olla ocasionalmente hasta que el azúcar se disuelva, alrededor de 5 minutos. Continúe hirviendo lentamente durante 3 ó 5 minutos más, sin tapar, hasta que el azúcar se torne en un caramelo de color ámbar oscuro. Retire del fuego, agregue cuidadosamente la crema (el caramelo siseará y burbujeará vigorosamente) y bata hasta que esté terso. Integre, batiendo, la mantequilla, vainilla y sal. Deje enfriar ligeramente.

En un tazón bata el queso mascarpone hasta suavizar e integre, batiendo, 3 cucharadas del líquido de cocimiento frío. Usando un rodillo presione las galletas de jengibre hasta obtener trozos pequeños (debe tener aproximadamente ½ taza). Usando un cortador para hacer bolitas de melón, descorazone las mitades de membrillo cocido y coloque cada mitad sobre un platón de servicio o dentro de un tazón. Cubra las mitades de membrillo con la mezcla de queso mascarpone, rocíe con el caramelo, espolvoree con las galletas molidas y sirva.

vino riesling, una botella de 750 ml

azúcar, 2 tazas

rajas de canela, 2

piezas de anís estrella, 1

granos de pimienta negra, ½ cucharadita

membrillos, 3

crema dulce para batir, ⅔ taza

mantequilla sin sal, 3 cucharadas

extracto puro de vainilla, ½ cucharadita

sal, ¼ cucharadita

queso mascarpone, 225 g (½ lb)

galletas de jengibre, 10 ó 15 de 5 cm (2 in)

RINDE 6 PORCIONES

En un postre sencillo y moderno, al asar las peras firmes resalta su dulzor y suavidad y se intensifica su delicado bouquet. Las hojas de albahaca fresca, un sazonador usado, por lo general, en asados y guisados, proporcionan tenues toques herbales. La dorada miel de abeja evoca un sabor floral.

peras asadas con miel de abeja, laurel y yogurt griego

Las hojas frescas de laurel contienen toques únicos de pino y pimienta blanca. En esta receta proporcionan su intrigante aroma, por lo general reservado para los platillos sazonados, a un postre sencillo de peras en almíbar sazonadas con la esencia de almendra del amaretto, con nueces tostadas y yogurt ácido estilo griego.

Precaliente el horno a 190°C (375°F). Coloque las almendras sobre una charola para hornear con borde y tueste en el horno durante 5 ó 6 minutos, hasta que aromaticen y estén ligeramente doradas. Vacíe hacia un plato y deje enfriar. Deje el horno encendido.

Parta las peras longitudinalmente a la mitad. Retire las secciones fibrosas que conectan los tallos con los corazones y recorte los tallos. Usando un cortador para hacer bolitas de melón, retire los corazones.

En un horno holandés u olla grande con tapa, mezcle la miel de abeja con las hojas de laurel y lleve a ebullición sobre fuego medio-alto. Cuando suelte el hervor, reduzca el fuego a medio y continúe hirviendo lentamente alrededor de 3 minutos, moviendo de vez en cuando, hasta que la miel aromatice y se torne de color ámbar oscuro. Retire del fuego.

Coloque los trozos de mantequilla en la olla con la miel, dejando una separación uniforme entre ellos. Usando unas pinzas coloque cuidadosamente una mitad de pera, con el lado cortado hacia abajo, sobre cada trozo de mantequilla. Tape la olla y ase las peras en el horno durante 10 minutos. Usando una cuchara de mango largo voltee las peras cuidadosamente y bañe con la mezcla de miel. Rocíe las peras con el amaretto y continúe asando, destapadas, alrededor de 6 u 8 minutos, hasta que estén doradas y que un cuchillo mondador pueda deslizarse fácilmente hasta los centros. Retire del horno y deje enfriar ligeramente las peras dentro de la mezcla de miel, cerca de 30 minutos.

En un tazón bata el yogurt hasta que esté terso. Para servir, coloque cada mitad de pera en un tazón, cubra con yogurt y espolvoree con almendras tostadas. Rocíe con un poco de la mezcla de miel de la olla y sirva de inmediato.

almendras fileteadas, ⅓ taza

peras Bosc firmes, 3

miel de abeja, ⅓ taza

hojas de laurel frescas, 4

mantequilla sin sal, 3 cucharadas, cortada en 6 trozos

amaretto, 2 cucharadas

yogurt simple estilo griego, 1½ taza

RINDE 6 PORCIONES

tarta de chocolate oscuro y nuez tostada

nueces en mitades, 1½ taza, muy toscamente picadas

mantequilla sin sal, ½ taza más 3 cucharadas, a temperatura ambiente

azúcar granulada, ⅓ taza

yema de huevo, 1

sal de mar, como la maldon, 1 cucharadita

harina de trigo, 1¼ taza más la necesaria

miel de maíz, ½ taza

huevos, 2

azúcar mascabado ligero, 3 cucharadas compactas

extracto puro de vainilla, ¾ cucharadita

sal, ⅛ cucharadita

chocolate semiamargo, 100 g (¼ lb), finamente picado

RINDE 10 PORCIONES

Coloque una rejilla en la parte inferior del horno y otra en el tercio inferior. Precaliente el horno a 190°C (375°F).

Sobre una charola para hornear con borde tueste las nueces en la rejilla superior durante 6 u 8 minutos, hasta que aromaticen. Vacíe en un plato y deje enfriar. En el procesador de alimentos muela finamente ⅓ taza de las nueces picadas; tenga cuidado de no sobre procesarlas.

En un tazón, con ayuda de una cuchara de madera, bata la ½ taza de mantequilla con el azúcar granulada hasta integrar por completo. Integre la yema de huevo y la sal de mar, batiendo. Agregue las nueces molidas y 1 ¼ taza de harina e integre incorporando los ingredientes secos con la mezcla de mantequilla presionándolos sobre las paredes del tazón, hasta que la masa se junte y forme grumos grandes y desordenados. Sobre una superficie de trabajo ligeramente enharinada presione la masa haciendo un montículo y amase hasta que se junte. Presione la masa haciendo un rectángulo y pase a un molde ondulado y rectangular para tarta de 33 x 10 cm (13 x 4 in) con base desmontable. Presione la masa uniformemente sobre la base y los lados del molde. Retire y deseche el exceso de masa que salga de las orillas del molde. Coloque la corteza para tarta sobre una charola para hornear con borde y hornee sobre la rejilla inferior alrededor de 12 minutos, hasta dorar ligeramente. Retire del horno y, usando un tenedor, presione suavemente la base de la corteza si ésta se esponjó durante el horneado.

En un tazón mezcle la miel de maíz con los huevos, azúcar mascabado, vainilla y sal. Derrita las 3 cucharadas restantes de mantequilla e integre, batiendo, con la mezcla de miel de maíz. Incorpore a la mezcla el chocolate picado y las nueces reservadas. Vierta el relleno sobre la corteza y hornee sobre la rejilla superior alrededor de 25 minutos, hasta que el centro de la tarta se esponje y cuaje. Deje enfriar por completo sobre una rejilla de alambre.

Para servir, retire la tarta del molde y corte en rebanadas.

Esta tarta ligeramente dulce contiene nueces con un agradable sabor amargo tanto por dentro como por fuera. Al tostar las nueces se resalta su sabor anuezado y su textura crujiente. El chocolate oscuro del relleno agrega aun otro elemento amargo que se funde con la aromática vainilla y la exuberancia de la mantequilla y de los huevos.

En la cocina del sur de Francia, la lavanda se usa para sazonar sustanciosas carnes y asados pero su sabor distintivo también es maravilloso cuando se usa en postres. Proporciona un toque dulce y floral a las natillas cremosas a base de huevos y un inesperado fondo de sabor herbal.

crème brûlée de lavanda

crema dulce para batir,
2½ tazas

azúcar, ½ taza más
2 cucharadas

sal, una pizca

lavanda seca,
2 cucharaditas

yemas de huevo, 8

RINDE 6 PORCIONES

Precaliente el horno a 160°C (325°F). En una olla mezcle la crema con ½ taza de azúcar y la sal y lleve a ebullición, moviendo ocasionalmente. Cuando suelte el hervor, retire del fuego, integre la lavanda, tape y deje reposar durante 15 minutos.

En un tazón grande bata las yemas de huevo hasta incorporar. Integre la crema caliente poco a poco con las yemas, batiendo, hasta que la base del tazón esté caliente. Incorpore la crema restante ligeramente más rápido. Vierta a través de un colador de malla fina hacia una taza grande para medir líquidos y deseche la lavanda.

Coloque seis ramekins o refractarios individuales con capacidad de ¼ taza en un refractario de 33 x 23 x 5 cm (13 x 9 x 2 in). Divida la mezcla de yema con crema uniformemente entre los refractarios. Pase el refractario al horno y vierta agua muy caliente en el refractario hasta que llegue a la mitad de los lados de los refractarios individuales. Hornee durante 30 ó 35 minutos, hasta que las natillas se muevan ligeramente en el centro cuando los refractarios se agiten suavemente. Con cuidado retire el refractario del horno y deje enfriar las natillas en el baño María durante 30 minutos. Retire los refractarios individuales del refractario, seque las bases y envuelva cada uno con plástico adherente. Refrigere por lo menos durante 4 horas o hasta por 3 días.

Desenvuelva las natillas y seque suavemente las superficies con una toalla de papel para absorber toda la humedad que haya quedado en la superficie. Espolvoree las 2 cucharadas de azúcar sobre las natillas, dividiéndola uniformemente; incline y golpee cada refractario para distribuir el azúcar uniformemente sobre la superficie de la natilla. Usando una antorcha manual para cocina, caramelice el azúcar moviendo la antorcha en una moción que imite a un número ocho, hasta que el azúcar se dore y derrita uniformemente. (O, si lo desea, coloque una rejilla de horno entre 7.5 cm y 10 cm (3 – 4 in) por debajo de la fuente de calor y precaliente el asador. Coloque los ramekins o refractarios individuales sobre una charola para hornear con borde y ase durante 1 ó 2 minutos, hasta que el azúcar burbujee y se caramelice.) Sirva de inmediato.

Los brotes secos de lavanda agregan su perfume a estas natillas perfectamente tersas. La calidad floral y ligeramente herbal de la lavanda compensa la exuberancia de las yemas de huevo y la crema espesa; y sus toques sazonados intensifican el sabor semiamargo de la corteza de azúcar crujiente.

invierno

pastel de vino madeira y aceite de oliva con compota de naranja sangría

mantequilla sin sal

azúcar, 1⅓ taza más 6 cucharadas

harina preparada para pastel, 3 tazas

polvo para hornear, 2½ cucharaditas

sal, ¾ cucharadita

huevos, 3

ralladura de naranja, 1 cucharadita, finamente rallada

extracto puro de vainilla, ½ cucharadita

vino Madeira dulce o semidulce, ⅔ taza

leche entera, ½ taza

aceite de oliva extravirgen, ¾ taza

naranjas sangría, 4

jugo de granada roja, ⅓ taza

hojas de menta fresca, 10, finamente picadas

mermelada de naranja, 1 taza

RINDE 12 PORCIONES

Precaliente el horno a 175°C (350°F). Engrase generosamente con mantequilla un molde para rosca profunda y espolvoree la base y lados con 2 cucharadas de azúcar, inclinando y golpeando el molde para cubrir uniformemente.

En un tazón bata la harina con el polvo para hornear y sal. Usando una batidora de mesa a velocidad alta bata los huevos, ralladura de naranja, vainilla y 1 ⅓ taza de azúcar alrededor de 3 minutos, hasta que la mezcla esté clara y espesa. Con la batidora encendida agregue el vino Madeira y la leche en hilo lento y continuo, agregue de la misma manera el aceite de oliva y bata hasta integrar por completo. Apague la batidora y cierna los ingredientes secos sobre la mezcla de huevo en 3 tandas, mezclando con movimiento envolvente con ayuda de una espátula de hule hasta que sólo queden algunos hilos de diferente color.

Usando una espátula de hule pase la masa al molde preparado. Hornee durante 45 ó 50 minutos, hasta que el pastel se dore y que un probador para pastel insertado en el centro, salga limpio. Deje enfriar a temperatura ambiente dentro del molde colocándolo sobre una rejilla de alambre alrededor de 2 horas.

Mientras tanto, usando un cuchillo mondador, retire la cáscara de las naranjas y separe la pulpa en gajos (página 146) reservando el jugo que suelten. En una olla de material no reactivo hierva el jugo de granada roja con las 4 cucharadas restantes de azúcar sobre fuego medio-alto. Hierva lentamente, moviendo de vez en cuando, de 4 a 6 minutos, hasta que la mezcla se reduzca a la mitad. Agregue los gajos de naranja con su jugo y vuelva a hervir. Reduzca el fuego a medio-bajo y continúe hirviendo a fuego lento de 5 a 8 minutos, hasta que los gajos de naranja se hayan desbaratado. Integre la menta y la mermelada de naranja. Pase la compota a un tazón y deje reposar a temperatura ambiente.

Para servir, invierta el pastel sobre un platón grande, corte en rebanadas, divida entre platos de servicio y cubra con la compota de naranja.

El afrutado aceite de oliva extra virgen sustituye a la mantequilla en este original pastel. La masa es perfumada con ralladura de naranja fresca y con dulce vino Madeira con un alto contenido de uvas secas. El sabor a naranja de este pastel es acentuado con una compota de naranja sangría y mermelada de naranja y el toque fresco proporcionado por una mezcla de menta fresca picada.

pudín de pan de plátano y uvas pasas con salsa de brandy

El sabor familiar de los plátanos maduros presenta una nueva versión para el clásico pudín de pan que también es realzado con vainilla aromática, azúcar llena de sabor y una salsa sedosa de brandy. Emplear pan de canela y uvas pasas en vez de usar una barra de pan simple es una forma sencilla de agregar dimensión a este postre delicioso y casero.

Precaliente el horno a 175°C (350°F). Coloque el pan sobre una charola para hornear con borde y hornee los cuadros de 6 a 8 minutos, hasta que el pan esté seco. Reduzca el calor del horno a 160°C (325°F). Engrase un refractario con capacidad de 3 litros (3 qt) con la mantequilla a temperatura ambiente.

En un tazón grande bata 3 tazas de crema con la leche, 3 yemas de huevo, los huevos enteros, ^{2}/$_3$ taza de azúcar granulada, la vainilla y la sal. Sumerja el pan seco en la mezcla y deje remojar durante 30 minutos, mezclando y presionando el pan en el líquido cada 10 minutos.

Retire la cáscara de los plátanos, córtelos longitudinalmente en cuartos y transversalmente en rebanadas de ½ cm (¼ in). Coloque en un tazón con el azúcar mascabado y mezcle hasta integrar.

Coloque la mitad del pan remojado en el refractario preparado y cubra uniformemente con los plátanos. Cubra con el pan restante, vierta la mezcla de huevo y crema restante sobre él, rocíe con la mantequilla derretida y espolvoree con aproximadamente una cucharada de azúcar granulada. Coloque el refractario dentro de una charola grande para asar, pase la charola al horno y vierta 2.5 cm (1 in) de agua muy caliente dentro de ella. Hornee alrededor de una hora, hasta que la superficie se dore y el pudín se cuaje. Deje enfriar dentro del baño María colocando la charola sobre una rejilla de alambre.

Mientras tanto, en una olla bata la crema restante, las 4 yemas de huevo restantes y la ½ taza de azúcar granulada. Cocine sobre fuego medio-bajo durante 5 ó 6 minutos, batiendo constantemente, hasta que la mezcla esté lo suficientemente espesa para cubrir el revés de una cuchara de madera (no deje que la mezcla hierva). Integre el brandy y pase a través de un colador de malla fina.

Para servir, pase el pudín caliente a tazones con ayuda de una cuchara y rocíe con la salsa.

pan de canela con uvas pasas, rebanado, 700 g (1½ lb), cortado en cuadros de 2.5 cm (1 in)

mantequilla sin sal, 2 cucharadas, a temperatura ambiente, más 2 cucharadas, derretida

crema dulce para batir, 4¾ tazas

leche entera, 3 tazas

yemas de huevo, 7

huevos, 3

azúcar granulada, ^{2}/$_3$ taza más ½ taza, más la necesaria para espolvorear

extracto puro de vainilla, 1 cucharadita

sal, ¼ cucharadita

plátanos maduros, 4

azúcar mascabado oscuro, 2 cucharadas compactas

brandy, 3 cucharadas

RINDE 12 PORCIONES

Las coloridas mandarinas del invierno son un acento inesperado en una cremosa natilla con consistencia similar a un pudín y hecha a base de chocolate semiamargo y elegante crema dulce. Unidos crean un delicioso postre que logra su perfecto equilibrio gracias al fresco y dinámico sabor cítrico.

pots de crème de chocolate y mandarina

Las mandarinas proporcionan un distintivo sabor a este delicioso postre de natilla. La brillante y aromática ralladura perfuma a esta intensa natilla a base de chocolate oscuro, mientras que el ácido jugo alegra a la mezcla de vainilla. Ambos giran unidos creando un maravilloso contraste de color y de sabores complementarios.

Prepare ralladura fina con las mandarinas y exprima 3 cucharadas de jugo. Coloque el chocolate en un tazón térmico.

En una olla bata las yemas de huevo con el azúcar, vainilla, sal y ralladura. Integre la crema con la mezcla de yemas de huevo y cocine sobre fuego medio, batiendo constantemente, hasta que la mezcla esté lo suficientmente espesa para cubrir el revés de una cuchara de madera (no deje que la mezcla hierva). Cuele la mezcla a través de un colador de malla fina colocado sobre un tazón grande. Vierta dos tercios de la mezcla caliente sobre el chocolate, deje reposar durante 5 minutos y bata hasta integrar. Incorpore, batiendo, el jugo de mandarina con la mezcla restante.

Usando un cucharón pequeño, llene una tercera parte de seis ramekins o refractarios individuales con capacidad de ³⁄₄ taza con la mezcla de chocolate. Vierta la mezcla de mandarina en los refractarios, dividiéndola uniformemente y cubra con la mezcla restante de chocolate. Introduzca un palillo de madera o pincho para brocheta dentro de la mezcla en los refractarios dibujando figuras similares al número ocho para crear un efecto marmoleado. Tape con plástico adherente y refrigere por lo menos durante 2 horas o hasta por 3 días. Sirva las pots de crème bien fríos.

mandarinas, 2

chocolate semiamargo, 170 g (6 oz), picado

yemas de huevo, 6

azúcar, ¹⁄₃ taza

extracto puro de vainilla, 1 cucharadita

sal, ¼ cucharadita

crema dulce para batir, 2½ tazas

RINDE 6 PORCIONES

mousse de limón meyer con migas de galleta

galletas graham o Marías,
170 g (6 oz) (un rollo)

azúcar, 1⅔ taza más
3 cucharadas

sal

mantequilla sin sal,
½ taza, derretida, más
6 cucharadas

limón Meyer, 5

huevos, 5, a temperatura
ambiente

crema dulce para batir,
1½ taza

queso ricotta, ¾ taza, a
temperatura ambiente

RINDE 6 PORCIONES

Precaliente el horno a 160°C (325°F). Cubra con papel aluminio una charola para hornear con borde.

Coloque las galletas en un procesador de alimentos, pulse para romperlas ligeramente y procese para convertirlas en migas finas. Agregue las 3 cucharadas de azúcar, una pizca de sal y la mantequilla derretida y pulse hasta que la mezcla se junte ligeramente y quede como galletas pequeñas. Pase a la charola para hornear preparada y hornee alrededor de 10 minutos, hasta dorar ligeramente. Deje reposar a temperatura ambiente.

Prepare una cucharada de ralladura fina con los limones y exprima para obtener una taza de jugo de limón. Agregue la ralladura y el jugo a una olla de material no reactivo. Integre, batiendo, los huevos, 1⅓ taza de azúcar y una pizca de sal. Cocine la mezcla sobre fuego medio-bajo de 4 a 5 minutos, batiendo constantemente, hasta que espese y adquiera un tono amarillo brillante (no deje que la mezcla hierva). Retire del fuego, integre, batiendo, las 6 cucharadas de mantequilla y pase la natilla a través de un colador de malla fina colocado sobre un tazón. Reserve y deje enfriar durante 15 minutos, tape con plástico adherente, presionándolo directamente sobre la superficie de la natilla. Refrigere por lo menos durante 1½ hora, hasta que esté frío.

Usando una batidora de mesa bata la crema con el azúcar restante, hasta que la crema forme picos firmes. Agregue la natilla de limón fría y el queso ricotta y bata hasta obtener una mezcla tersa, bajando la mezcla que quede en los lados del tazón cuando sea necesario.

Cuando vaya a servir pase la mitad del mousse a 6 copas para postre, dividiéndolo uniformemente. Espolvoree con la mitad de las migas de galleta, una vez más dividiéndolo uniformemente. Repita haciendo capas con el mousse y migas de galletas restante y sirva de inmediato.

Los jugosos y ligeramente ácidos limones Meyer tienen un fuerte color amarillo y una piel aromática. Su jugo y ralladura proporcionan a este mousse un fresco y brillante sabor mientras que el queso ricotta le proporciona esencia y cuerpo. Las migas amantequilladas y azucaradas que se intercalan con el mousse y espolvorean en la superficie agregan dulzor y un contraste crujiente a la textura.

El romero fresco es tan intenso que, por lo general, se usa únicamente en platillos sazonados. Pero en este postre proporciona a los panqués amantequillados un delicioso aroma a bosque. Las frutas secas remojadas en oporto infundido con especias crean una compota con sabor atrevido que se presenta frente al agresivo romero.

panqués de **romero** con frutas secas remojadas en **oporto**

frutas secas mixtas, como arándanos, higos y chabacanos, 2 tazas

moras de junípero, 8

granos de pimienta negra, 1 cucharadita

oporto, 1 taza

azúcar, 1⅔ taza

rajas de canela, 2

aceite de cocina en aerosol

mantequilla sin sal, 1 taza

romero fresco, 4 ramas pequeñas

harina preparada para pastel, 1¼ taza

polvo para hornear, ¼ cucharadita

sal, ½ cucharadita

huevos, 3, a temperatura ambiente

yemas de huevo, 3, a temperatura ambiente

extracto puro de vainilla, ½ cucharadita

RINDE 8 Ó 9 PORCIONES

Corte las frutas secas en trozos del tamaño de un bocado. Envuelva las moras de junípero y los granos de pimienta con una bolsa de té y coloque en una olla. Agregue el oporto, ⅔ taza del azúcar y las rajas de canela; lleve a ebullición, moviendo ocasionalmente. Agregue las frutas secas y hierva sobre fuego lento durante 5 minutos. Retire del fuego, tape y deje reposar por lo menos durante una hora.

Precaliente el horno a 175°C (350°F). Rocíe con aceite en aerosol tres moldes miniatura para panqué de 14 x 8 cm (5 ³⁄₄ x 3 ¹⁄₈ in). Derrita la mantequilla en una olla pequeña sobre fuego medio-bajo. Retire del fuego, agregue 3 ramas de romero, tape y deje reposar durante 15 minutos. Cuele a través de un colador de malla fina; deseche el romero. Mientras el romero se remoja, desprenda las hojas de la otra rama de romero y píquelas toscamente. En un tazón bata la harina con el polvo para hornear, sal y romero picado.

Usando una batidora de mesa a velocidad media-alta bata los huevos enteros, yemas de huevo y vainilla hasta integrar. Añada la taza de azúcar restante y bata alrededor de 3 minutos, hasta que la mezcla esté clara y espesa. Reduzca la velocidad a baja y agregue los ingredientes secos en 2 tandas, mezclando hasta dejar únicamente algunas líneas secas. Eleve la velocidad de la batidora a media-baja e integre la mantequilla con infusión de romero. Aumente la velocidad a media y bata hasta integrar. Usando una espátula de hule pase la masa a los moldes para panqué preparados, dividiéndola uniformemente.

Hornee los pasteles alrededor de 40 minutos, hasta que se abomben, se doren alrededor de las orillas y que un probador para pastel insertado en sus centros salga limpio. Deje enfriar en los moldes durante 5 minutos e invierta los pasteles sobre una rejilla de alambre, voltee y deje enfriar por completo.

Para servir, rebane los panqués y sirva acompañando con las frutas secas remojadas en oporto.

El romero fresco, con su carácter boscoso y sabores campiranos, proporciona un toque indudablemente sabroso. Una sustanciosa compota de oporto con infusión de especias y trozos de fruta seca está llena de sabores concentrados que combinan a la perfección con el sabor atrevido de los panqués.

crème caramel de naranja

Una pequeña cantidad de agua de flor de naranja delicadamente perfumada proporciona un sabor refinado y un aire de distinción a estas sedosas natillas con caramelo. El licor de naranja y el aliño de ralladura cítrica caramelizada proporcionan capas adicionales de sabor cítrico y dan esplendor a este postre.

Precaliente el horno a 160°C (325°F).

En una olla gruesa mezcle 1 ½ taza de azúcar con ½ taza de agua. Tape y lleve a ebullición sobre fuego medio-alto, revisando el azúcar a menudo. Una vez que el azúcar empiece a derretirse, destape y gire la olla ocasionalmente, hasta que el azúcar se disuelva, aproximadamente 5 minutos. Continúe hirviendo a fuego lento de 4 a 6 minutos más, destapado, hasta que el azúcar se torne en un caramelo de color ámbar oscuro. Vierta el caramelo en seis ramekins o refractarios individuales con capacidad de ¾ de taza, dividiéndolo uniformemente. Usando un guante térmico para horno, incline los refractarios cuidadosamente para cubrir los lados con caramelo. Coloque los refractarios sobre un refractario de 33 x 23 x 5 cm (13 x 9 x 2 in).

En un tazón grande bata la ½ cucharada de azúcar restante con las yemas de huevo, huevo entero, Grand Marnier, agua de flor de naranja y sal. En una olla mezcle la crema con la leche y hierva sobre fuego medio-alto. Integre gradualmente la mezcla de leche y crema caliente con la mezcla de huevo, batiendo, hasta que la base del tazón se sienta caliente. Incorpore, batiendo, el líquido restante un poco más rápido. Usando un cucharón pase la mezcla de huevo y crema a los refractarios, dividiéndola uniformemente. Pase el refractario al horno y vierta agua muy caliente en el refractario hasta cubrir la mitad de los refractarios individuales. Hornee alrededor de 35 minutos, hasta que las natillas tiemblen ligeramente cuando se les mueva con suavidad. Retire el refractario del horno cuidadosamente y deje que las natillas se enfríen en el baño María durante 30 minutos. Retire los refractarios del baño María, seque sus bases y envuelva cada uno en plástico adherente. Refrigere por lo menos durante 6 horas o hasta por 3 días.

Para servir, desenvuelva las natillas y pase un cuchillo alrededor de las orillas de los refractarios para desprenderlas. Invierta las natillas sobre platos, levante los refractarios, adorne con la ralladura cítrica caramelizada y sirva.

azúcar, 2 tazas

yemas de huevo, 4

huevo, 1

Grand Marnier,
2 cucharadas

agua de flor de naranja,
2 cucharaditas

sal, una pizca

crema dulce para batir,
1¾ taza

leche entera, ¾ taza

ralladura cítrica
caramelizada (página 144),
para adornar

RINDE 6 PORCIONES

panqué de jengibre a las especias con betún de queso crema al jerez

mantequilla sin sal, ½ taza, derretida, más la necesaria para engrasar

harina de trigo, 2 tazas

jengibre molido, 1 cucharada

canela molida, 1½ cucharadita

clavo molido, ½ cucharadita

pimienta negra molida fino, ½ cucharadita

pimienta de cayena, ⅛ cucharadita

sal, ¾ cucharadita

polvo para hornear y bicarbonato de sodio, ½ cucharadita de *cada uno*

huevos, 2

azúcar mascabado claro, 1 taza compacta

melaza oscura, ⅔ taza

leche entera, 1 taza

jengibre fresco, un trozo de 10 cm (4 in), sin piel y rallado

betún de queso crema al jerez (página 144)

RINDE 9 PORCIONES

Precaliente el horno a 175°C (350°F). Engrase con mantequilla un refractario cuadrado de 20 cm (8 in).

En un tazón bata la harina con el jengibre molido, canela, clavo, pimienta negra, pimienta de cayena, sal, polvo para hornear y bicarbonato de sodio.

En otro tazón bata los huevos, agregue el azúcar mascabado y bata vigorosamente hasta integrar. Agregue, batiendo, la melaza y la leche. Añada el jengibre fresco y bata hasta integrar.

Vierta la mezcla de huevo hacia el tazón con la mezcla de harina y revuelva con una espátula de hule hasta humedecer los ingredientes. Mientras revuelve, agregue la mantequilla derretida, mezclando hasta integrar.

Usando una espátula de hule pase la masa al refractario preparado y extiéndala uniformemente. Hornee alrededor de 40 minutos, hasta que el centro rebote cuando lo presione ligeramente con la yema de su dedo y que un probador de pastel insertado en el centro salga limpio. Deje enfiar a temperatura ambiente dentro del molde colocándolo sobre una rejilla de alambre.

Usando una espátula para betún, extienda el betún sobre el pastel frío. Corte el pastel embetunado en 9 cuadros y sirva.

Las especias aromáticas proporcionan un carácter atrevido a este pan de jengibre. Entre ellas está la fuerte pimienta de cayena roja que proporciona un toque picante y deja un sabor persistente en el paladar. El delicioso betún de queso crema suministra un agradable sabor penetrante que balancea el sabor a especias de este aterciopelado pastel.

Los arándanos frescos de color rojo rubí forman una corona festiva y sabrosa sobre esta rosca ondulada para la temporada de las fiestas. Su asertiva acidez se atenúa gracias a una medida generosa de azúcar que se hornea dentro del pastel además de una ostentosa cubierta de dulce glaseado de limón.

pastel de limón
con betún de arándano

mantequilla sin sal, ¾ taza,
a temperatura ambiente,
más la necesaria para
engrasar

azúcar mascabado ligero,
⅓ taza compacta

arándanos frescos, 3 tazas
(aproximadamente 340
g/12 oz)

harina de trigo, 2½ tazas

polvo para hornear,
2½ cucharaditas

bicarbonato de sodio,
½ cucharadita

sal, 1 cucharadita

azúcar granulada, 1½ taza

limones amarillos, 2

buttermilk o yogurt,

¾ taza

extracto puro de vainilla,
1½ cucharadita

huevos, 3

azúcar glass, 1 taza más
la necesaria

RINDE 12 PORCIONES

Precaliente el horno a 175°C (350°F). Engrase generosamente con mantequilla un molde para rosca ondulada con capacidad de 12 tazas. Espolvoree el azúcar mascabado sobre la base del molde, distribuya los arándonos uniformemente sobre el azúcar. En un tazón bata la harina con el polvo para hornear, bicarbonato y sal. Coloque el azúcar granulada en el tazón de una batidora de mesa. Prepare ralladura fina con los limones y coloque sobre el azúcar; mezcle ligeramente.

Exprima el jugo de los limones. En una taza para medir líquidos mezcle 2 cucharadas del jugo de limón con el buttermilk y la vainilla; reserve el jugo de limón restante. Agregue ¾ taza de mantequilla a la mezcla de ralladura de limón con azúcar y bata a velocidad media-alta durante 1 ó 2 minutos, hasta obtener una mezcla clara y esponjosa. Integre los huevos, batiendo uno a la vez y bajando la mezcla que quede en los lados del tazón después de cada adición. Reduzca la velocidad de la batidora a baja y agregue los ingredientes secos en 3 tandas, alternando con la mezcla de buttermilk en 2 tandas. Eleve la velocidad de la batidora a media-alta y bata durante 2 minutos para esponjar.

Usando una espátula de hule pase la mezcla al molde preparado y extienda uniformemente sobre los arándanos. Hornee durante 35 ó 40 minutos, hasta que el pastel se dore y que un probador para pastel insertado en el centro salga limpio. Deje enfriar dentro del molde durante 5 minutos e invierta el pastel sobre un plato pastelero, levante el molde y deje enfriar por completo.

Cuando el pastel esté frío bata en un tazón el azúcar glass con ½ cucharada del jugo de limón reservado hasta obtener una mezcla espesa y tersa. Rectifique la consistencia rociando un poco del betún sobre el pastel. Si se escurre del pastel agregue más azúcar glass y bata; si está demasiado espeso y no se puede untar fácilmente, agregue un poco más de jugo de limón. Cubra el pastel con el betún y deje reposar por lo menos durante 15 minutos. Corte en rebanadas y sirva.

Los arándanos frescos y la atrevida ralladura de limón brillante y su jugo agregan cualidades refrescantes a este pastel rico en mantequilla. Mientras el pastel se hornea, los arándanos se convierten en una cubierta agridulce con textura similar al de una compota. Un sencillo betún de limón es el toque final para este delicioso postre.

sorbete de toronja al champagne

El jugo dulce y amargo de la toronja fresca al igual que su aromática ralladura combinan con la burbujeante champagne de sabor brillante para crear este bello sorbete de color rosa claro. Refrescante y ligeramente dulce, es un refrescante final para una opulenta comida de invierno.

En una licuadora mezcle 2 tazas de agua fría con el champagne y el azúcar. Prepare ralladura fina de una de las toronjas y exprima ½ taza de jugo de esa toronja. Agregue la ralladura y jugo de toronja a la licuadora.

Usando un cuchillo mondador retire la cáscara de la otra toronja, separe la pulpa en gajos (página 146) y reserve el jugo que suelte. Exprima la membrana que quede en la licuadora para extraer todo el jugo posible y deseche. Añada los gajos y el jugo de toronja a la licuadora. Haga un puré terso y vierta la mezcla hacia un tazón de material no reactivo, tape y refrigere durante 2 ó 3 horas.

Congele la mezcla de jugo de toronja frío en una máquina para hacer helado, siguiendo las instrucciones del fabricante. Si lo desea, colóquelo en un recipiente con cierre hermético y congele hasta que esté muy firme.

Coloque bolas de sorbete en tazones y sirva de inmediato.

champagne rosé o vino espumoso, 1 taza

azúcar superfino, 1¼ taza

toronjas ruby red o rosas, 2 grandes

RINDE 1 LITRO (1 QT) DE SORBETE; DE 6 A 8 PORCIONES

tartaletas de chocolate semiamargo con caramelo oscuro

azúcar granulada, 1 taza

crema dulce para batir,
⅔ taza más ¾ taza

mantequilla sin sal,
3 cucharadas

sal, ¼ cucharadita

masa para tartaleta de cocoa (página 142), a temperatura ambiente

cocoa en polvo

chocolate semiamargo,
6 170 g (6 oz), finamente picado

sal de mar, como la maldon, ½ cucharadita

RINDE 6 PORCIONES

En una olla gruesa mezcle el azúcar con 3 cucharadas de agua. Tape y lleve a ebullición sobre fuego medio-alto, revisando el azúcar a menudo. Cuando el azúcar empiece a derretirse, destape y gire la olla ocasionalmente hasta que el azúcar se disuelva, alrededor de 5 minutos. Continúe hirviendo lentamente, sin tapar, de 4 a 6 minutos más, hasta que el azúcar se convierta en un caramelo de color ámbar muy oscuro y tenga un ligero olor a quemado. Retire del fuego, agregue cuidadosamente 2/3 taza de crema (el caramelo siseará y burbujeará vigorosamente) y bata hasta obtener una mezcla tersa. Integre la mantequilla y la sal, batiendo; deje reposar a temperatura ambiente.

Precaliente el horno 190°C (375°F). Presione la masa para formar un rectángulo de 15 x 23 cm (6 x 9 in). Corte el rectángulo longitudinalmente a la mitad y corte cada mitad transversalmente en tercios; deberá tener seis cuadros de 7.5 cm (3 in). Coloque cada cuadro en un molde para tartaleta de 7.5 cm (3 in), sumerja las yemas de sus dedos en la cocoa en polvo y presione la masa sobre la base y lados de los moldes. Retire y deseche el exceso de masa que quede alrededor de los moldes y use los sobrantes para rellenar grietas y hoyos. Coloque las cortezas para tartaleta sobre una charola para hornear con bordes y hornee alrededor de 10 minutos, hasta que se cueza. Deje enfriar las cortezas sobre la charola para hornear colocándola sobre una rejilla de alambre.

Mientras tanto, coloque el chocolate en un tazón térmico pequeño. En una olla pequeña hierva a fuego lento 1/4 taza de crema y vierta sobre el chocolate. Deje reposar durante 5 minutos y bata hasta que esté terso. Rellene cada corteza para tartaleta con aproximadamente una cucharada del caramelo, extendiéndolo uniformemente con el revés de una cuchara. Vierta el relleno de chocolate en las cortezas, dividiéndolo uniformemente y aplanando las superficies. Refrigere hasta que esté firme, por lo menos durante 2 horas o hasta por 2 días, cubriendo con plástico adherente una vez que el chocolate se cuaje.Cuando vaya a servir, deje reposar las tartaletas a temperatura ambiente alrededor de 15 minutos para suavizar ligeramente. Retire las tartaletas de sus moldes, espolvoree cada una con un poco de sal de mar y sirva.

En estas tartaletas individuales, la dosis doble de chocolate oscuro de las cortezas y del delicioso relleno de ganache, se complementa con el caramelo oscuro, especialmente tostado y agradablemente amargo. Un poco de sal de mar sobre las tartaletas intensifica los sabores y les proporciona una agradable textura crujiente.

El cremoso queso de cabra fresco va de la tabla de quesos al pastel de queso para hacer un delicioso postre de invierno. La sedosa natilla ácida de limón que cubre la superficie del pastel imita el sabor ácido del relleno y muestra la rica y elegante calidad del pastel de queso.

pastel de queso de cabra al limón

biscotti de almendra, 170 g
(6 oz), rotas en trozos

azúcar, 1 taza más
2 cucharadas

mantequilla sin sal,
4 cucharadas, derretida

sal

huevos, 4, a temperatura
ambiente

extracto puro de vainilla,
½ cucharadita

aceite de limón,
½ cucharadita

queso neufchâtel, 450 g
(1 lb)

queso de cabra fresco,
½ 230 g (1/2 lb), a
temperatura ambiente

crema ácida, 1 taza

**lemon curd (natilla de
limón, página 143)**

RINDE DE 10 A 12
PORCIONES

Precaliente el horno a 160°C (325°F). En un procesador de alimentos muela las galletas finamente. Agregue las 2 cucharadas de azúcar, mantequilla derretida y una pizca de sal y pulse hasta que la mezcla parezca arena mojada. Pase a un molde para pastel de 23 cm (9 in) con base desmontable y presione sobre la base y hasta la mitad de los lados del molde. Hornee la corteza durante 10 ó 12 minutos, hasta que esté ligeramente dorada; envuelva la parte exterior del molde con una hoja grande de papel aluminio.

En una taza para medir líquidos bata los huevos, vainilla y aceite de limón. Usando una batidora de mesa a velocidad media-alta bata el queso de cabra con el queso Neufchâtel alrededor de 4 minutos, hasta obtener una mezcla ligera y cremosa. Integre la taza de azúcar restante y ¼ cucharadita de sal, batiendo alrededor de 1 ó 2 minutos, hasta integrar por completo. Incorpore lentamente la mezcla de huevo, batiendo constantemente y bajando la mezcla que quede en los lados del tazón conforme sea necesario. Añada la crema ácida y continúe batiendo cerca de un minuto más, hasta que la mezcla esté ligera y esponjada. Usando una espátula de hule revuelva por última vez bajando la mezcla que quede en las paredes y base del tazón. Vierta el relleno dentro de la corteza y extiéndalo uniformemente. Coloque el molde dentro de una charola grande para asar. Pase la charola para asar al horno y agréguele 2.5 cm (1 in) de agua muy caliente. Hornee el pastel de queso entre 1 y 1 ¼ hora, hasta que se cuaje y que un probador para pastel insertado en el centro salga limpio. (Revise después de 30 minutos de horneado y agregue más agua a la charola si fuera necesario). Deje enfriar el pastel de queso en el baño María durante una hora colocándolo sobre una rejilla de alambre. Retire el papel aluminio, cubra con plástico adherente y refrigere por lo menos durante una hora. Extienda el lemon curd sobre el pastel de queso. Tape con plástico adherente y refrigere por lo menos durante 2 horas o hasta por 2 días.

Empape una toalla de cocina en agua caliente, exprima y envuelva alrededor del molde con base desmontable durante 10 segundos. Abra el molde y retire los lados, pase el pastel de queso a un plato pastelero, rebane y sirva.

El queso de cabra y el limón se asocian para crear una nueva versión del clásico pastel de queso. El queso de cabra agrega un toque ácido y salado además de un sabor muy complejo; un betún de lemon curd ácido agrega una frescura que compensa el delicioso sabor del pastel de queso. Una corteza de grumos hecha con galletas de almendra agrega una sutil textura crujiente y original a este postre.

temas básicos

A continuación presentamos recetas básicas para masas para tarta, natillas de frutas, cubiertas y adornos que se solicitan en este libro; también son complementos útiles para el repertorio de todo pastelero. Los consejos y las técnicas que se muestran a continuación le ayudarán a trabajar eficaz y confiadamente con ingredientes como el chocolate, cítricos y claras de huevo. Cuando domine estos temas básicos sobre postres estará bien preparado para crear un sinnúmero de deliciosos finales.

masa básica para tartaleta

1¼ taza de harina de trigo

1½ cucharada de azúcar

¼ cucharadita de sal

6 cucharadas de mantequilla sin sal fría, cortada en cubos de 1 cm (1/2 in)

4 ó 6 cucharadas de agua con hielo

En un procesador de alimentos mezcle la harina, azúcar y sal y pulse brevemente. Agregue la mantequilla y pulse hasta que la mezcla parezca comida molida. Pase la mezcla a un tazón grande. Añada 4 cucharadas del agua con hielo e integre con ayuda de un tenedor. La masa debe empezar a unirse en una masa tosca. Presione entre sus dedos un trozo pequeño de masa; si no se mantiene unida sin desmoronarse, integre el agua restante, una cucharada a la vez. Junte la masa haciendo una bola sobre una hoja grande de plástico adherente. Presione la masa para formar un disco, envuelva herméticamente y refrigere por lo menos durante una hora o hasta por 2 días, hasta que esté bien fría y firme. Rinde suficiente masa para 24 tartaletas miniatura.

masa para galette de almendra

1 yema de huevo

½ cucharadita de extracto de almendra

½ taza de hojuelas de almendras

2 tazas de harina de trigo

3 cucharadas de azúcar

¼ cucharadita de sal

¾ taza de mantequilla sin sal fría, cortada en cubos

2 cucharadas de queso crema

4 ó 6 cucharadas de agua con hielo

En un tazón bata la yema de huevo con el extracto de almendra. En un procesador de alimentos muela las almendras finamente. Agregue la harina, azúcar y sal y pulse brevemente. Añada la mantequilla y pulse brevemente. Agregue el queso crema y pulse hasta que la mezcla parezca comida molida. Incorpore la mezcla de yema de huevo y pulse para integrar. Pase la mezcla a un tazón grande. Añada 4 cucharadas del agua con hielo e integre con ayuda de un tenedor para obtener una

mezcla tosca. Presione entre sus dedos un trozo pequeño de masa; si no se mantiene unida sin desmoronarse, integre el agua restante, una cucharada a la vez. Junte la masa haciendo una bola sobre una hoja grande de plástico adherente. Presione la masa para formar un disco, envuelva herméticamente y refrigere por lo menos durante una hora o hasta por 2 días. Rinde suficiente masa para hacer una galette de 25 cm (10 in).

masa para tartaleta de cocoa

1¼ taza de harina de trigo

⅓ taza de cocoa en polvo estilo alemán, más la necesaria para espolvorear

½ cucharadita de sal

6 cucharadas de mantequilla sin sal, cortada en cubos, a temperatura ambiente

½ taza más 2 cucharadas de azúcar glass

1 huevo, ligeramente batido

En un tazón bata la harina, cocoa y sal. En un procesador de alimentos mezcle la mantequilla con el azúcar y procese hasta integrar. Añada la mezcla de harina y procese 8 segundos, hasta casi incorporar por completo. Baje la mezcla que quede en los lados del tazón y pulse hasta que la mezcla parezca comida molida. Agregue el huevo y procese hasta que la masa se junte. Pase la masa a una superficie de trabajo espolvoreada con cocoa y amase 2 ó 3 veces para juntar la masa; estará muy suave. Presione la masa haciendo un disco y use de inmediato o envuelva herméticamente y refrigere hasta por 2 días (asegúrese de dejar reposar la masa a temperatura ambiente antes de usarla). Rinde suficiente masa para hacer seis tartaletas de 7.5 cm (3 in).

masa para tarta de vainilla

2 yemas de huevo

1 cucharadita de extracto puro de vainilla

1½ taza de harina de trigo

¼ taza de azúcar glass

3 cucharadas de azúcar granulada

½ cucharadita de sal

10 cucharadas de mantequilla sin sal fría, cortada en cubos

En un tazón bata las yemas de huevo con el extracto de vainilla. En un procesador de alimentos mezcle la harina, azúcares y sal; pulse brevemente. Añada la mantequilla y procese hasta que la mezcla parezca comida molida. Agregue la mezcla de yemas y procese hasta que la mezcla se junte. Pase a una superficie de trabajo ligeramente enharinada y amase para juntar la masa; presione para formar un disco. Use de inmediato. Rinde suficiente masa para hacer una tarta de 24 cm (9 ½ in).

masa para galette básica

1 yema de huevo

½ cucharadita de extracto puro de vainilla

2½ tazas de harina de trigo

3 cucharadas de azúcar

¼ cucharadita de sal

¾ taza de mantequilla sin sal, cortada en cubos

2 cucharadas de queso crema

4 ó 6 cucharadas de agua con hielo

En un tazón bata la yema de huevo con el extracto de vainilla. En un procesador de alimentos mezcle la harina, azúcar y sal; pulse brevemente. Añada la mantequilla y pulse brevemente. Incorpore el queso crema y pulse hasta que la mezcla parezca comida molida. Añada la mezcla de yema y pulse para integrar. Pase la mezcla a un tazón grande. Añada 4 cucharadas del agua con hielo e integre con ayuda de un tenedor.para obtener una mezcla tosca. Presione entre sus dedos un trozo pequeño de masa; si no se mantiene unida sin desmoronarse, integre el agua restante, una cucharada a la vez. Junte la masa haciendo una bola sobre una hoja grande de plástico adherente. Presione la masa para formar un disco, envuelva herméticamente y refrigere por lo menos durante una hora o hasta por 2 días. Rinde suficiente masa para hacer una galette de 25 cm (10 in)..

natilla de maracuyá

4 maracuyás frescos maduros o ¼ taza de pulpa de maracuyá congelada, descongelada

2 yemas de huevo, a temperatura ambiente

⅓ taza de azúcar

una pizca de sal

3 cucharadas de mantequilla sin sal

Corte los maracuyás a la mitad y coloque su pulpa en un colador de malla fina puesto sobre un tazón. Presione la pulpa para pasarla a través del colador y deseche las semillas. Mida ¼ taza de jugo y pulpa y colóquelo en una olla de material no reactivo. Integre, batiendo, las yemas de huevo, azúcar y sal. Cocine la mezcla sobre fuego medio-bajo durante 2 ó 3 minutos, batiendo constantemente, hasta que se espese y tome un color amarillo-anaranjado brillante (no deje que hierva). Retire del fuego, integre la mantequilla, batiendo, y pase a través de un colador de malla fina. Deje enfriar durante 15 minutos y tape con plástico adherente, presionándolo directamente sobre la superficie de la natilla. Refrigere alrededor de 1 ½ hora, hasta que esté fría. Rinde aproximadamente ¾ taza.

lemon curd (natilla de limón)

3 limones amarillos

4 huevos, a temperatura ambiente

1 taza de azúcar

Una pizca de sal

4 cucharadas de mantequilla sin sal

2 cucharadas de crema dulce para batir

Prepare una cucharada de ralladura fina con los limones y exprima ½ taza de jugo de limón. Coloque ambos en una olla de material no reactivo. Integre, batiendo, los huevos, azúcar y sal. Cocine la mezcla sobre fuego medio-bajo durante 3 ó 4 minutos, batiendo constantemente, hasta que se torne de color amarillo brillante y esté lo suficientemente espesa para cubrir el revés de una cuchara de madera (no deje que hierva). Retire del fuego, integre la mantequilla, batiendo, seguida de la crema. Pase a través de un colador de malla fina. Deje enfriar a temperatura ambiente. Use de inmediato o cubra con plástico adherente presionándolo directamente sobre la superficie de la natilla y refrigere hasta por 3 días. Rinde aproximadamente 1 $^3/_4$ taza.

betún de queso crema al jerez

225 g (½ lb) de queso crema, a temperatura ambiente

¼ taza de mantequilla sin sal, a temperatura ambiente

Una pizca de sal

⅔ taza de azúcar glass, cernido

1 cucharadita de jerez seco

Usando una batidora de mesa a velocidad media-alta bata el queso crema, mantequilla y sal durante 1 ó 2 minutos, hasta que la mezcla esté clara y cremosa. Agregue el azúcar y bata hasta que la mezcla esté tersa. Integre el jerez. Use de inmediato. Rinde aproximadamente 1 ½ taza.

crema dulce batida

1 taza de crema dulce para batir, fría

1 cucharadita de extracto puro de vainilla

3 cucharadas de azúcar

Usando una batidora de mesa o una manual a velocidad media bata la crema, vainilla y azúcar hasta que se esponje. Aumente la velocidad a media-alta y continúe batiendo durante 1 ó 2 minutos, hasta que la crema tenga picos suaves. Use de inmediato. Rinde aprox. 2 tazas.

ralladura cítrica caramelizada

1 toronja

1 naranja

1 limón amarillo

1½ taza de azúcar

Usando un pelador de papas y trabajando de arriba hacia abajo, retire la cáscara de la toronja, naranja y limón en tiras largas y anchas. Usando un cuchillo mondador retire la piel blanca que quede por debajo de la cáscara. Coloque las tiras de ralladura en una olla, cubra con 2.5 cm (1 in) de agua y hierva. Escurra y repita la operación. Coloque las tiras de ralladura sobre toallas de papel y seque.

En una olla mezcle una taza del azúcar con una taza de agua. Agregue las tiras de ralladura y lleve a ebullición sobre fuego medio-alto. Reduzca el fuego a bajo y cocine durante 20 ó 25 minutos, moviendo de vez en cuando, hasta que las tiras estén translúcidas. Agregue la ½ taza restante de azúcar a un tazón. Usando un tenedor, retire las tiras de la miel, dejando que el exceso de miel caiga en la olla y pase las tiras al azúcar. Revuelque las tiras en el azúcar hasta cubrir uniformemente y deje secar sobre un plato. Rinde aproximadamente 20 piezas.

crème fraîche

1 taza de crema dulce para batir

1 cucharada de buttermilk o yogurt

En una olla pequeña sobre fuego medio-bajo mezcle la crema con el buttermilk. Caliente sólo

hasta que la mezcla esté tibia (no deje que hierva). Pase la mezcla a un tazón de material no reactivo, tape y deje reposar a temperatura ambiente por lo menos 8 horas o hasta por 48 horas, hasta que espese. Refrigere hasta que esté bien fría antes de usar. Rinde 1 taza.

preparándose para hornear

Antes de preparar cualquier receta, especialmente una receta para hornear que requiere de atención y exactitud, léala cuidadosamente y asegúrese de tener a la mano todos los ingredientes y el equipo necesario ¡no vaya a tener que hurgar en la despensa mientras está batiendo la masa para un pastel! También es el momento adecuado para revisar si alguno de sus ingredientes necesita de alguna preparación especial, como los huevos fríos que deben estar a temperatura ambiente o la mantequilla que se debe derretir o enfriar. Si el horno se debe precalentar o si los moldes se deben engrasar, ahora es el momento ideal para hacerlo.

preparando moldes para hornear

Cada pastelero conoce la desilusión que se siente cuando un pastel se pega al molde. Los moldes bien engrasados aseguran que los alimentos horneados se desprendan fácilmente después de hornearlos. Ya sea que use un molde antiadherente para hornear o uno tradicional, casi siempre se recomienda engrasar con una capa generosa de aceite en aerosol o de mantequilla suavizada y no sólo con una capa como la que queda en la envoltura de la mantequilla. (Por lo general, los moldes para tarta no se tienen que engrasar debido a que las masas para tarta tienen un alto contenido de grasa y casi nunca se pegan a los moldes.) También es recomendable cubrir las charolas para hornear con papel encerado para hornear, especialmente cuando prepare tartas de fruta con forma libre las cuales sueltan jugos durante el horneado. El papel encerado para hornear no sólo garantiza que la tarta se podrá retirar de la charola para hornear una vez cocida, sino que también simplifica la limpieza.

revisando el calor del horno

La temperatura correcta del horno es crucial cuando se hornea. Un horno demasiado frío puede hacer que los alimentos horneados no esponjen ni se doren, mientras que un horno demasiado caliente puede quemarlos. Para revisar la exactitud del horno coloque un termómetro para horno en el centro del mismo, encienda el horno y permita que se caliente totalmente. Si el horno no está calibrado con la temperatura que marca, haga los ajustes necesarios reduciendo o elevando el calor. Si se sabe que el horno tiene algunas zonas más calientes, lo que puede causar un dorado disparejo, rote el(los) molde(s) durante el horneado para lograr un dorado más uniforme.

midiendo ingredientes

La medida correcta de los ingredientes es una de las claves para lograr el éxito cuando se hornea, incluso una pequeña diferencia en las medidas puede tener un efecto adverso en una receta. Los ingredientes secos y los ingredientes húmedos necesitan diferentes herramientas y técnicas para medirlos.

ingredientes secos Use tazas y cucharas resistentes para medir ingredientes secos. Sumerja la taza o cuchara en el ingrediente y retire el sobrante. Use un filo recto, ya sea una espátula para betún o el revés del filo de un cuchillo para retirar el exceso y nivelar el ingrediente.

ingredientes húmedos Use una taza para medir líquidos, de preferencia una de vidrio templado. Llene la taza, deje que el líquido se estabilice y revise la medida inclinándose de manera que su ojo quede al nivel de la taza.

tostando nueces

Al tostar nueces éstas se doran ligeramente y obtienen una textura crujiente, dándoles un sabor más rico y completo. Asegúrese de dejar enfriar las nueces tostadas antes de usarlas en una receta para que sus grasas naturales no formen grumos.

sobre la estufa Extienda las nueces en una capa uniforme sobre una sartén seca. Tueste las nueces sobre fuego medio, agitándolas a menudo, hasta que aromaticen y estén ligeramente doradas.

en el horno Esparza las nueces en una capa uniforme en un refractario o charola para hornear. Tueste en el horno entre 160ºC y 190ºC (325ºF y 375ºF) hasta que aromaticen y estén ligeramente doradas.

trabajando con chocolate

El chocolate tiene fama de ser un ingrediente difícil de trabajar. Las recetas de este libro no necesitan técnicas complicadas, simplemente un conocimiento básico del chocolate.

eligiendo Cuando compre chocolate, asegúrese de comprar el que se pide en las recetas; los chocolates semiamargo, amargo, de leche o blanco tienen características y sabores diferentes. También se comportan de distinta manera cuando se usan en las recetas, por lo que es importante usar el adecuado. Para obtener el sabor más rico y completo, compre chocolate de buena calidad y en una tienda que venda y recircule su inventario a menudo.

derritiendo Todos los tipos de chocolate son muy sensibles al calor. Para derretir chocolate sin que se "atasque" (que se vuelva duro y arenoso) o se queme, píquelo finamente y colóquelo en un tazón limpio y seco de material térmico. Coloque el tazón sobre una olla con aproximadamente 2.5 cm (1 in) de agua hirviendo lentamente; la base del tazón no deberá tocar el agua. Este sistema se llama hervidor doble y se usa para calentar muchos alimentos sensibles a la temperatura. Deje que el chocolate se derrita lentamente, moviéndolo de vez en cuando con una cuchara limpia o con una espátula térmica y teniendo cuidado de no dejar que la humedad entre al tazón. Una vez que el chocolate se haya derretido por completo y esté suave, retire el tazón de la olla.

almacenando Además de que el chocolate es sensible al calor, éste tiene la tendencia de absorber los aromas de los demás alimentos. Para almacenar chocolate, envuélvalo herméticamente en varias capas de plástico adherente y colóquelo en un lugar fresco y oscuro lejos de alimentos aromáticos como son las cebollas y las especias. Si sufre cambios de temperatura, el chocolate algunas veces florece o sea que forma manchas de color blanco calizo. El chocolate que adquiere estas manchas tiene una textura poco atractiva al paladar pero puede usarse perfectamente para derretir y usar en estas recetas.

batiendo claras de huevo

Aunque es más fácil separar los huevos enteros cuando éstos están fríos, las claras de huevo se baten más rápido cuando están a temperatura ambiente. Cuando bata claras, asegúrese de que no tengan rastros de yema y de que el tazón y los batidores o implementos de la batidora estén perfectamente limpios. Incluso pequeños rastros de grasa o de aceite evitarán que las claras logren el volumen y la textura adecuada. Las claras de huevo batidas se deben usar de inmediato.

extendiendo masa de pasta

La masa de pasta es más fácil de extender en una cocina fría y cuando la masa se ha refrigerado será más moldeable no cuando dura. Si la masa se vuelve suave y pegajosa al extenderla, pásela o colóquela sobre una charola para hornear y vuélvala a colocar en el refrigerador y deje enfriar hasta que se pueda volver a manejar.

1 *Enharine* la superficie de trabajo Espolvoree ligeramente la superficie de trabajo con harina, coloque el disco de masa sobre la superficie y espolvoree la superficie del disco con harina.

2 *Empiece a extender* Trabajando desde el

centro del disco presione la masa hacia las orillas en todas las direcciones, aplicando una presión uniforme con ayuda de un rodillo.

3 *Levante y rote la masa* Para asegurarse de que la masa no se pegue a la superficie de trabajo, pase ocasionalmente una espátula para betún o un raspador de masa por debajo de la masa y rote la masa un cuarto de giro. Continúe extendiendo hasta que el círculo alcance el diámetro deseado.

usando baño María

Los delicados pasteles y natillas con base de huevo a menudo se hornean a baño María. El agua actúa como aislante durante el horneado, evitando que el perímetro del pastel o natilla se sobre hornee mientras el centro se cuece. Para usar el baño María se requiere de cierta precaución. Primero, coloque el molde para pastel o los refractarios llenos en una charola para asar o en un refractario. Llene una jarra o una taza grande para medir con agua caliente. Pase la charola para asar a la rejilla del horno teniendo cuidado de no dejar caer. Por último, vierta el agua caliente cuidadosamente en la charola sin salpicar y llenándola hasta donde lo indica la receta. Cuando retire la charola del horno, hágalo con mucho cuidado para que el agua no salpique el postre.

preparando caramelo

El sabor tostado y semiamargo del caramelo combina muy bien con muchos postres.

1 *Use una olla profunda* Elija una olla gruesa que parezca demasiado grande para llevar a

cabo esta tarea. El tamaño de la olla ayudará a que el azúcar se cocine uniformemente y su tamaño contendrá la mezcla de caramelo cuando suba y burbujee vigorosamente en el momento en que se le agregue la crema.

2 *No gire o mueva demasiado a menudo* La mezcla de azúcar y agua se gira o mezcla en las fases iniciales del cocimiento, pero una vez que el azúcar se disuelva, antes de que empiece a tomar color, el caramelo no debe moverse. Si se mueve en esta fase puede hacer que el azúcar se cristalice y se convierta en una masa seca y granulosa.

3 *Vigile de cerca* Cuando el azúcar empiece a tomar color ya se puede girar la olla, pero vigile de cerca ya que el caramelo se dora muy rápido. Si fuera necesario, disminuya el calor debajo de la olla y prepárese para retirar la olla del fuego y agregar la crema a la mitad del cocimiento.

4 *Agregue la crema con cuidado* Cuado se agregue la crema, la mezcla de caramelo siseará y burbujeará vigorosamente. Viértala lentamente, en varias adiciones si fuera necesario y revuelva o bata la mezcla para incorporar la crema y disolver los trozos endurecidos de azúcar.

haciendo helado

Para hacer helado o nieve es necesario planear ciertas cosas por adelantado. La base para el helado debe estar muy fría antes de empezar a hacerlo. Además, muchas máquinas eléctricas para hacer helado necesitan que la canastilla usada para agitar la base para el helado se congele por lo menos durante 24 horas antes de usarla. Revise las instrucciones del fabricante. Justo después de agitar es buena idea congelar el helado con plástico adherente presionado directamente sobre la superficie durante algunas horas para obtener una textura firme.

trabajando con cítricos

Los cítricos proporcionan un sabor deslumbrante que combina perfectamente con muchos otros ingredientes para postre.

preparando ralladura Si una receta pide ralladura y jugo cítrico, prepare la ralladura antes de exprimir el jugo ya que es más fácil hacerla cuando la fruta está entera. Para hacer ralladura cítrica, use un rallador manual con raspas finas. Usando una presión ligera, mueva el cítrico hacia delante y hacia atrás presionando sobre los dientes del rallador retirando únicamente la ralladura y desechando la piel blanca la cual tiene un sabor amargo.

exprimiendo jugo Para obtener la mayor cantidad posible de jugo de una fruta cítrica, trabaje con fruta a temperatura ambiente y ruédela hacia delante y hacia atrás sobre una superficie de trabajo presionando firmemente con la palma de su mano, de manera que la fruta se suavice ligeramente. Corte la fruta a la mitad y use un exprimidor o un extractor de jugos para exprimir cada mitad. Cuele el jugo para retirar las semillas o los trozos de pulpa.

separando en gajos Haga un corte en la parte superior e inferior de la fruta y colóquela sobre uno de sus lados cortados. Usando un cuchillo filoso y delgado corte la cáscara y piel blanca en tiras, siguiendo el contorno redondo de la fruta. Trabaje con la fruta rotándola conforme sea necesario. Detenga la fruta en una mano. Trabajando sobre un tazón para que el jugo y los gajos caigan en él, corte la membrana que tiene a los lados de cada gajo para separarlos; deje caer los gajos en el tazón mientras sigue trabajando con la fruta.

trabajando con piña

Cuando elija una piña, busque una que se sienta pesada para su tamaño y que tenga hojas de color verde brillante. También deberá tener un aroma frutal y no debe tener golpes. Para retirar su cáscara gruesa y escamosa, siga estos pasos:

1 *Retire la parte superior e inferior* Usando un cuchillo filoso retire la parte superior e inferior de la fruta y coloque verticalmente sobre uno de sus lados cortados.

2 *Retire la cáscara* Trabajando de arriba hacia abajo rebane la piel en tiras anchas. Corte lo suficientemente adentro para retirar la mayor parte de sus ojos, pero no demasiado de la pulpa.

3 *Corte los ojos* Usando la punta de un cuchillo mondador retire los ojos que hayan quedado. Corte la fruta en trozos y retire el corazón como lo indica la receta.

lavando moras frescas

Las moras frescas requieren de un manejo delicado pues se magullan con facilidad. Para lavarlas, llene un tazón grande con agua fría. Pase las moras de sus recipientes al agua y muévalas suavemente en ella, retirando aquellas que estén magulladas. Saque las moras del agua con su mano y extiéndalas en una sola capa sobre una toalla de cocina doblada o sobre una capa triple de toallas de papel y deje secar. Lave las moras justo antes de usar y úselas de inmediato; las moras lavadas no se conservan bien.

retirando el tallo y cáliz de las fresas

Retire el tallo y cáliz de las fresas después de lavarlas y justo antes de usarlas.

1 *Inserte un cuchillo* Inserte la punta de un cuchillo mondador filoso ligeramente inclinado justo por debajo de la zona del cáliz hasta que la punta del cuchillo llegue al centro de la fresa.

2 *Jale el cáliz* Corte alrededor del tallo rotando la fresa para hacer un corte circular. Jale o levante suavemente la parte superior.

retirando huesos de la fruta

Los duraznos, nectarinas, chabacanos, ciruelas y pluots tienen huesos o carozos grandes en el centro. Si la fruta es de hueso suelto, la pulpa se separará fácilmente del hueso; si es de hueso pegado, costará trabajo retirarlo.

1 *Parta la fruta a la mitad* Corte la fruta a la mitad de polo a polo, trabajando alrededor del hueso y separe las mitades. Si no se separan fácilmente gírelas con suavidad para separarlas.

2 *Retire el hueso* Usando la punta de un cuchillo mondador desprenda el hueso. Si está muy pegado a la pulpa, use la punta de un cuchillo mondador para cortar por debajo y alrededor de él y despréndalo.

ingredientes de temporada

Esta tabla le ayudará a conocer a simple vista la temporada de los productos usados en este libro, así como algunas otras frutas que pueden servirle en buena medida. Algunas frutas, como las manzanas, tienen una temporada principal la cual se indica en la siguiente tabla aunque éstas se pueden adquirir durante todo el año; muchas frutas importadas también se pueden conseguir durante todo el año. Los puntos rellenos indican las temporadas principales; los puntos vacíos indican las temporadas de transición.

INGREDIENTES	PRIMAVERA	VERANO	OTOÑO	INVIERNO
manzanas			●	○
chabacanos	●	○		
peras asiáticas			●	●
plátanos	●	●	●	●
albahaca	○	●	○	
hojas frescas de laurel	●	●	●	●
zarzamora		●		
naranjas sangría				●
moras		●		
melón cantaloupe		●	○	
cerezas ácidas		●		
cerezas dulces		●		
maíz		●	○	
arándanos			●	○
higos		●	●	
jengibre	●	●	●	●
toronja	○			●
melón honeydew		●	○	
key lime	●	●		
kiwi	●			●
limón amarillo	●	●	●	●

INGREDIENTES	PRIMAVERA	VERANO	OTOÑO	INVIERNO
lemongrass	●	●	●	●
limón agrio	○			●
mango	●	●	●	●
limón meyer	○			●
nectarinas		●	○	
naranjas	●	●	●	●
maracuyá	●	●	●	●
duraznos		●	○	
peras			●	●
pérsimos			●	●
piña	●	●	●	●
ciruelas		●	○	
pluots		●	○	
calabaza			●	●
membrillo			●	
frambuesas	●	●	○	
ruibarbo	●	●		
romero	●	●	●	●
fresas	●	●		
mandarinas			○	●
sandía		●	○	

glosario

aceite de limón Este intenso sazonador contiene el sabor del limón pero no su acidez. Busque el aceite de limón que ha sido prensado directamente de cáscaras del limón en vez del aceite que ha sido infundido con sabor a limón. No sustituya el aceite de limón por el extracto de limón.

agua de flor de naranja Los brotes de naranjas amargas se destilan para crear este saborizante claro y muy perfumado que a menudo se usa en la cocina del medio oriente.

amaretto Un licor de color dorado oscuro con un sabor dulce y suave ligeramente amargo, el amaretto se infunde con el sabor de almendras amargas.

anís estrella Estas vainas de color café oscuro y forma de estrella tienen un sabor muy parecido a la semilla del anís y de ahí su nombre, pero con una cualidad más sabrosa y asertiva. Son nativas de China y, cuando se muelen en polvo, son uno de los ingredientes del polvo chino de cinco especias.

arroz basmati El arroz basmati es un aromático arroz de grano largo con un fuerte sabor y aroma a nuez. Es el arroz predilecto de la India y zona del Medio Oriente.

arrurruz El almidón derivado de la raíz de una planta tropical, el arrurruz se usa como un agente espesador. Se vende en forma de polvo blanco y no tiene sabor ni color cuando se cocina.

azúcar El azúcar es un ingrediente indispensable en la preparación de postres. Agrega dulzor y humedad, tiene propiedades suavizantes y ayuda a caramelizar los alimentos. *glass* También llamado azúcar pulverizado, el azúcar glass es azúcar granulado que ha sido pulverizado hasta obtener un polvo fino y combinado con una pequeña cantidad de fécula de maíz para evitar grumos.granulada El azúcar más común es el azúcar blanca granulada, que ha sido extraída de caña de azúcar o de betabeles. Para hornear compre únicamente el de caña de azúcar ya que el azúcar de betabel tiene un efecto impredecible en las recetas. mascabado Rico en sabor, el azúcar mascabado es azúcar granulada mezclada con melaza. Tiene una textura suave y húmeda y puede ser café claro o café oscuro.
superfino El azúcar superfino, algunas veces llamado azúcar de barra, es azúcar granulado que ha sido molido muy finamente. Debido a que sus gránulos son tan diminutos, el azúcar superfino se disuelve rápidamente, convirtiéndolo en el azúcar preferido para los postres que se sirven crudos o en frío.turbinado Un azúcar bruto de grano grueso, el azúcar turbinado se hace evaporando azúcar sin refinar. Tiene un color dorado claro y toques de sabor a melaza.

bicarbonato de sodio El bicarbonato de sodio es un álcali blanco en polvo que reacciona frente a los ingredientes ácidos, como son el buttermilk o la crema ácida, creando dióxido de carbono el cual esponja las masas.

biscotti de almendra Estas galletas italianas sumamente crujientes, debido a su doble horneado, y con un sabor ligeramente dulce, a menudo se sirven para acompañar una taza de café o una copa de vino para el postre. Su textura y sabor neutral las convierte en un buen candidato para usar en cortezas de galleta molida.

brandy Este licor es destilado de vino o jugo de fruta fermentado que ha sido añejado en barricas de madera, las cuales le proporcionan su color y sabor.

brioche Un clásico pan francés hecho con cantidades generosas de mantequilla, leche y huevos, el brioche se caracteriza por tener una corteza delgada de color café dorado y una miga delgada y suave parecida a la de un pastel.

buttermilk Anteriormente, el buttermilk era el líquido lechoso que quedaba después de convertir la crema en mantequilla. Hoy en día se hace agregando a la leche un cultivo de bacteria, lo cual le proporciona un sabor ácido y una textura espesa.

caramelo El resultado de cocinar azúcar hasta que se dore y tome un sabor tostado y semidulce, el caramelo, se usa tanto en preparaciones dulces como en platillos sazonados. El caramelo al que no se le agrega líquido se torna duro y quebradizo al cocinarlo; el caramelo al que se le agrega líquido (a menudo crema o agua) es viscoso y se puede verter, dependiendo de la cantidad de líquido que se le haya agregado.

cardamomo Un pariente del jengibre, el cardamomo se vende en polvo o en vaina. Las apapeladas vainas contienen diminutas semillas que son la fuente del cálido y dulce sabor del cardamomo. Cuando use vainas primero presiónelas para expulsar las semillas; asegúrese de retirar las vainas antes de servir.

cerezas ácidas Demasiado ácidas para comerse crudas pero llenas de sabor afrutado, las cerezas ácidas son la variedad de cereza que se usa comúnmente para hacer postres y mermeladas.

coco La fruta de una palma tropical, el coco tiene muchos usos culinarios. En este libro se usan dos tipos de productos derivados del coco:coco deshidratado sin endulzar El coco deshidratado se hace al rallar la pulpa blanca del interior del coco en hilos grandes y anchos que posteriormente se dejan secar. Búsquelo en tiendas de productos naturales o en tiendas especializadas en alimentos asiáticos.
leche de coco sin endulzar La leche de coco se vende en lata y está hecha al procesar pulpa de coco rallada con agua. Al estar estática la grasa del coco sube a la superficie de la leche por lo que antes de usarla se debe agitar la lata o revolver el contenido perfectamente para mezclar.

crema dulce para batir De todos los productos lácteos, la crema dulce para batir, que contiene entre el 36% y el 40% de grasa de leche es, por mucho, la crema más rica. Algunas veces se vende etiquetada como crema espesa para batir. Para obtener el mejor sabor, busque crema dulce que haya sido pasteurizada pero no ultra-pasteurizada.

crème fraîche En la tradición francesa la crème fraîche es crema sin pasteurizar espesada con una bacteria que está naturalmente presente en la crema. Sin embargo, es más común que se espese agregándole una bacteria, la cual le proporciona una consistencia suave y untable además de un sabor ácido y ligeramente parecido al de la nuez. La crème fraîche se vende en recipientes de plástico, a menudo en el refrigerador de especialidades en quesos.

cremor tártaro Este polvo blanco es bitartrato de potasio, un subproducto ácido que resulta de la fabricación del vino. Se agrega en muy pequeñas cantidades a las claras de huevo antes de batirlas para ayudarles a crear una espuma de huevo estable y voluminosa.

champagne, rosé Este champagne adquiere un color rosa claro o tonos color durazno al estar en contacto con pieles de uvas rojas o al mezclarse con una pequeña cantidad de vino tinto. El champagne rosé tiene un sabor y un cuerpo ligeramente más completo que el champagne regular.

chocolate Hay muchas variedades de chocolate en los anaqueles de las tiendas; a continuación presentamos únicamente los que se nombran en este libro.
blanco El chocolate blanco no es un chocolate auténtico sino más bien manteca de cacao con sólidos de leche que han sido endulzados con azúcar y saborizados con vainilla. Es preciado por su suave y amantequillada textura y por la capacidad de soportar otros sabores en un postre.
cocoa en polvo estilo alemán Básicamente, la cocoa en polvo es chocolate sin endulzar al cual se le ha retirado toda la grasa y se ha molido finamente. La cocoa estilo alemán ha sido tratada con álcalis para atenuar la acidez natural de la cocoa, lo que también le da un color más oscuro.
semiamargo Chocolate ligeramente semidulce hecho con un diferente porcentaje de cocoa: entre más alto sea el porcentaje, será menos dulce y más amargo. Para obtener los mejores resultados con las recetas de este libro, use chocolate semiamargo de buena calidad con aproximadamente un 70% de cocoa.
sin endulzar El chocolate sin endulzar es amargo y tiene un intenso sabor, tan fuerte que no se puede comer por sí solo. Cuando se use en una receta, se debe balancear con una generosa cantidad de azúcar.

extracto puro de vainilla Este saborizante de color café claro se hace remojando vainas de vainilla en alcohol. Evite la imitación del extracto de vainilla, el cual se hace sin vainas de vainilla y no tiene la complejidad del extracto puro.

fleur de sel vea Sal.

galette Este término francés se refiere a muchos tipos diferentes de postres redondos y planos, pero en los Estados Unidos es el nombre que a menudo se le da a las tartas hechas sin usar un molde.

galletas de amaretti Estas pequeñas y ligeras galletas italianas, sumamente crujientes, que son aderezadas con almendras amargas, algunas veces vienen envueltas individualmente. Se pueden encontrar en supermercados bien surtidos y en tiendas especializadas en alimentos italianos.

Grand Marnier De color dorado oscuro, el Grand Marnier es un licor francés con base de cognac saborizado con cáscaras secas de naranjas amargas.

granita Un sencillo postre congelado, el granita se hace al congelar un puré de fruta o un líquido con algún sabor y revolver la mezcla ocasionalmente mientras se solidifica para romper los cristales de hielo. La textura final es gruesa y granulosa.

grenetina sin sabor La grenetina es una proteína sin sabor ni color que se usa como agente espesador tanto en platillos dulces como sazonados. Antes de usarla, la grenetina se debe remojar en algún líquido y después calentarse para que se disuelva suavemente.

harina La harina proporciona cuerpo y estructura a los alimentos horneados. A continuación presentamos los dos tipos de harina que se usan en este libro:
de trigo Este producto básico de la cocina es una harina recomendable para uso general. Hecha de una mezcla de trigos suaves y duros, tiene un moderado contenido de proteínas.
preparada para pastel La harina preparada para pastel es molida de trigo suave, proporcionándole un bajo contenido de proteína así como una textura fina. Se usa para hornear pasteles con migas suaves y delicadas.

hojas frescas de laurel Las hojas verdes del árbol de laurel tienen una sabrosa fragancia herbal. Anteriormente sólo se conseguían hojas de laurel secas, pero ahora se pueden encontrar hojas de laurel frescas fácilmente en las tiendas de autoservicio, éstas tienen un sabor más delicado y complejo que la secas.

hojuelas de avena de cocimiento rápido Para hacer este tipo de hojuelas de avena se corta la avena, se cocina al vapor y se muele proporcionando partículas con una textura sustanciosa y chiclosa que se cocina rápidamente en el líquido.

jengibre cristalizado Algunas veces llamado jengibre caramelizado, está hecho al cocinar el jengibre en una miel de azúcar y después cubrirlo con cristales gruesos de azúcar. Por lo general, se vende en rebanadas delgadas.

jerez Un vino fortificado originario del sur de España, el jerez está hecho de uvas Palomino Fino y viene en variedades de color y dulzura. El jerez, por lo general, se toma como aperitivo o como vino para acompañar los postres.

key lime Su nombre proviene de los cabos de Florida (Florida Keys). Este limón es más pequeño que otros tipos de limones, algunas veces tan pequeño como una pequeña nuez y tiene un tinte amarillento en su piel. Tiene una fuerte acidez y un ligero sabor floral.

kirsch También conocido como kirschwasser, este brandy transparente de origen alemán se hace con cerezas.

lemongrass Esta hierba con un sabor fresco a limón, pero sin su gusto abrasivo, parece una cebollita de cambray con hojas de color verde grisáceo claro. El suave corazón del interior contiene la mayor parte de su sabor.

limón Meyer Considerado como una cruza entre el limón regular y la mandarina, los limones Meyer tienen una piel delgada que al madurar toma un color amarillo-naranja muy oscuro. Sus aromáticos jugo y pulpa son más dulces y menos ácidos que los de los limones regulares.

mantequilla clarificada Llamada beurre noisette en francés, lo que se traduce como "mantequilla de avellana", la mantequilla clarificada es mantequilla simple que ha sido cocinada suavemente hasta que toma un ligero color café claro y sabe y huele a avellana. Se usa tanto en platillos dulces como en platillos sazonados.

mantequilla sin sal La mantequilla sin sal, la cual algunas veces es etiquetada como mantequilla dulce, no ha sido sazonada con sal durante su fabricación, proporcionando al cocinero o pastelero control total sobre la cantidad de sal que se agrega en una receta.

maracuyá Una fruta tropical con forma de huevo y un intenso sabor agridulce. La variedad más común de maracuyá que se vende en las tiendas de autoservicio es de color morado oscuro. Cuando se madura, su piel suave se arruga. Su pulpa amarilla, que se puede sacar fácilmente con ayuda de una cuchara, contiene semillas negras comestibles pero que, por lo general, se desechan. Algunas veces se puede encontrar puré congelado de maracuyá en las tiendas especializadas en alimentos latinoamericanos.

material no reactivo Las sartenes de aluminio o de hierro forjado sin cobertura pueden tener reacción a los alimentos ácidos, como es el jugo de cítricos, proporcionándoles un sabor metálico y un color desagradable. Ante la menor duda, cocine en ollas y sartenes de acero inoxidable, aluminio anodizado o hierro esmaltado y prepare las mezclas de ingredientes ácidos en tazones de acero inoxidable, vidrio o cerámica.

melaza oscura La melaza es un subproducto de la refinación de la caña de azúcar. La melaza oscura, la cual se encuentra entre la melaza ligera y la melaza residual en la clasificación de las melazas, tiene un color similar al café, una textura espesa parecida a la miel y un sabor ahumado, amargo y ligeramente dulce.

membrillo Una fruta que parece una cruza entre manzana y pera tanto en sabor como en apariencia, los membrillos son de color amarillo dorado cuando están maduros y tienen una fragancia floral. Cuando están crudos su piel es firme, ácida y astringente; al cocinarse se tornan suaves, dulces y tiernos.

miel de maple La miel de maple se hace al hervir la savia del árbol de maple hasta obtener una miel de color ámbar. Esta miel tiene diferentes graduaciones dependiendo de su color, siendo las más oscuras las que tienen el sabor más fuerte.

molde para hacer pudines al vapor Este molde alto, por lo general, tiene lados ondulados, una base decorativa y una tapa que cierra con ayuda de una abrazadera. Los pudines al vapor se cocinan en el molde invertido y se voltean para servir.

moras de junípero Las semillas secas de color azul negruzco de un arbusto perenne, las moras de junípero, con sabor a ginebra, tiene un sabor ligeramente a resina y una sabor fresco a pino. A menudo se usan para sazonar carnes y aves.

moscato d'Asti Este vino italiano ligeramente espumoso está hecho de uvas moscatel. Dulce y bajo en alcohol, por lo general, se toma como vino para postres.

naranja sangría Esta variedad de naranja con distintiva pulpa roja o rallada tiene un sabor dulce pero ácido y ligeramente amargo.

nueces de macadamia Nativas de Australia, las nueces de macadamia tienen un sabor dulce y cremoso y una textura ligeramente encerada debido a su alto contenido en grasa. Las nueces casi siempre se venden sin cáscara, ya que sus cáscaras son muy difíciles de romper.

oporto El auténtico oporto, un dulce y fortificado vino con sabores concentrados y dulces, proviene de Portugal. Hay diferentes variedades de oporto pero para cocinar, compre el oporto Rubí o Tawny de precio accesible, en vez de usar un oporto de buena vendimia de precio elevado.

papel encerado para hornear Una bendición para cualquier pastelero, el papel encerado para hornear es resistente al calor, humedad e incluso a la grasa; asegura el poder desprender fácilmente los alimentos horneados y simplifica la limpieza. Cuando hornee no lo sustituya por papel encerado normal el cual no es tan resistente al calor.

pavlova Este postre clásico consiste en un crujiente merengue horneado cubierto con crema batida y frutas. De origen australiano, lleva ese nombre en memoria de Anna Pavlova, una bailarina rusa que cautivó al público australiano a principios del siglo veinte.

peras asiáticas Hay innumerables variedades de esta fruta que parece una cruza entre manzanas y peras. Varían mucho de color y tamaño pero su sabor dulce y afrutado así como su textura jugosa, crujiente y ligeramente granulosa es característica de todas las peras asiáticas.

pérsimos Originalmente cultivados en China, por lo general, se conocen dos variedades de pérsimos. El pérsimo Hachiya, con forma de calabaza y de color rojo-naranja, debe ser suave y muy maduro para que la fruta pierda su cualidad astringente y que sea comestible. El pérsimo Fuyu, de color más claro y forma más plana, tiene una textura crujiente y es más fácil de comer.

pimienta de cayena Una pimienta roja muy picante hecha de chiles de cayena secos y molidos, la pimienta de cayena se usa en pequeñas cantidades para proporcionar picor o resaltar el sabor.

pluot Una fruta del siglo veinte, los pluots son un híbrido de ciruela y chabacano. Más bien una ciruela por afinidad, tienen una piel suave, son jugosos y tienen una pulpa y un sabor similar al de la ciruela. Existen muchas variedades de pluots las cuales varían en el color de su piel y su pulpa.

polvo chino de cinco especias Esta mezcla de cinco especias contiene canela, clavo, anís estrella, granos de pimienta Szechuan y semillas de hinojo o anís. Algunas veces el jengibre molido sustituye a alguna de las otras especias.

polvo para hornear Un agente fermentador usado en alimentos horneados, el polvo para hornear, contiene bicarbonato de sodio, un ácido y un estabilizador. El líquido y el calor, en el caso del polvo para hornear de doble acción, lo activan desprendiendo dióxido de carbono y haciendo que la masa se esponje.

pot de crème De la frase francesa que significa "tarro de crema", este delicioso postre de natilla similar a un pudín, por lo general, se hace y se sirve frío en pequeños tarros con tapa.

pudín de verano Un postre inglés clásico que consiste en un tazón o plato cubierto con pan relleno con moras frescas ligeramente cocidas. Posteriormente se cubre con más pan y se presiona con peso durante varias horas dentro del refrigerador. El "pudín" se desmolda para servir.

puré de calabaza Este espeso e insípido puré de calabaza cocida, algunas veces etiquetado simplemente como calabaza, se vende en lata. Cuando lo compre no lo confunda con el relleno para pay de calabaza, el cual está sazonado con especias.

queso El queso proporciona un sabor y una textura única a muchos platillos, incluyendo a los postres. Para asegurar su frescura, trate de comprar el queso en una tienda especializada en quesos y almacene en papel en vez de usar plástico.

azul Los quesos azules han sido tratados con moho y han formado venas o bolsas azules de moho que proporcionan al queso su fuerte sabor picante. Varían en textura de secos y grumosos a suaves y cremosos.

crema Este queso fresco e inmaduro, una creación americana y uno de los ingredientes del pastel de queso, tiene un sabor ácido y salado y una textura cremosa y untable.

fresco de cabra También llamado chèvre, este queso blanco puro está hecho de leche de cabra y tiene una textura suave y un agradable sabor ácido y ligeramente salado. No use queso de cabra añejo en una receta que pide el fresco.

mascarpone Un queso italiano fresco muy suave y terso hecho de crema, el queso mascarpone es famoso por su rico y amantequillado sabor y su ligera acidez, y se puede encontrar en recipientes de plástico en las tiendas de autoservicio bien surtidas y en las tiendas especializadas en alimentos italianos. Es el ingrediente principal del tiramisú italiano.

Neufchâtel Tradicionalmente un queso suave de Normandía, Francia, el queso Neufchâtel, en su versión americana, es una alternativa baja en grasa para el queso crema. Su contenido de humedad es ligeramente mayor y le proporciona una textura muy suave.

ricotta Tradicionalmente el queso ricotta se hace volviendo a cocinar el suero que queda al producir queso. Tiene un sabor lechoso suave y una textura húmeda parecida al requesón.

ron Destilado del jugo de la caña de azúcar o melaza, este licor ligeramente suave viene en diferentes variedades. A continuación presentamos dos que se usan en este libro:

blanco El ron blanco es de color transparente y tiene un sabor y cuerpo muy ligero.

añejo De color ámbar oscuro y cuerpo medio, el ron añejo es un ron oscuro que contiene tonos característicos a bosque y de sabor similar al caramelo.

oscuro especiado De color café medio dorado y de cuerpo medio, el ron oscuro especiado es saborizado con una variedad de especias cálidas.

ruibarbo Los tallos de ruibarbo parecen tallos de apio de color rosa o rojo brillante. Son la única parte comestible de la planta de ruibarbo; las hojas son tóxicas. El sabor afrutado del ruibarbo es intensamente ácido y requiere de cocimiento con una generosa cantidad de azúcar para obtener un sabor agradable.

sal Indiscutiblemente el sazonador más importante. La sal resalta los sabores de cualquier platillo, incluyendo a los postres y puede agregar una interesante textura. A continuación presentamos las variedades de sal usadas en este libro:

sal de mar La textura de esta sal es bastante gruesa y agradablemente crujiente. Los granos de sal son delgados, escamosos y algunas veces con forma de pirámides planas.

fleur de sel Esta tosca sal de mar cosechada a mano es una especialidad de Francia. Tiene una textura húmeda y un sabor complejo rico en minerales.

sal La sal regular es una sal de uso común. Sus finos cristales se dispersan y se disuelven fácilmente, convirtiéndose en la sal elegida para muchas recetas horneadas.

soletas Estas ligeras galletas estilo pastel tienen forma de dedos gruesos. Las crujientes y secas soletas, llamadas savoiardi, se pueden encontrar en tiendas de auto servicio bien surtidas y en las tiendas especializadas en alimentos italianos.

streusel Una mezcla desmenuzable hecha de mantequilla, harina, azúcar y, a menudo, especias, el streusel algunas veces se espolvorea sobre pasteles, mantecadas y panqués antes de hornear. Al hornearse, se convierte en una atractiva cubierta dorada y crujiente.

tapioca de perla grande Hecha de la raíz de la planta de tapioca (mandioca), las perlas de tapioca se venden en diferentes tamaños. Las esferas de tapioca o perlas grandes sin cocer son aproximadamente del tamaño de chícharos muy grandes. Cuando se cocinan, tienen una agradable textura chiclosa. Las perlas grandes de tapioca se venden en tiendas de auto servicio bien surtidas y en tiendas especializadas en alimentos asiáticos.

té jazmín Para crear este oloroso té se aromatizan y sazonan hojas de té verde o té oolong chino con pétalos de flor de jazmín. El té jazmín hervido tiene un sabor fresco y floral.

té Earl Grey MEste té negro tiene un distintivo sabor y aroma al cítrico que proviene del aceite de bergamota, un tipo de naranja amarga.

trifle Este postre tradicional inglés hecho de pastel esponja o soletas remojadas en licor y colocadas en capas en un tazón profundo junto con natilla o crema pastelera, frutas y crema batida, sabe mejor después de que los ingredientes han tenido oportunidad de incorporarse durante algunas horas.

torta Una torta es un pastel hecho con muy poca harina o sin ella. Por lo general, son muy ricas y densas y a menudo se sirven acompañadas de algo que compensa estas características.

vainas de vainilla Las vainas secas con semillas curadas de una orquídea tropical. Las semillas de vainilla son la fuente de la esencia más pura y rica, la esencia de vainilla. Cuando las compre, busque vainas rollizas, brillantes y húmedas, lo cual indica su frescura. Las vainas arrugadas y de color café se deben abrir para raspar las semillas y desprender su sabor. Se venden en los mercados bien surtidos o en tiendas especializadas en alimentos.

vinagre balsámico Un sabor agridulce y un color café rojizo caracterizan al vinagre balsámico. Hecho del mosto cocido de las uvas Trebbiano, el vinagre balsámico auténtico viene de la región de Emilia-Romagna en Italia. Entre más tiempo se deje añejar, este vinagre será más viscoso y valioso.

vino Madeira Este vino fortificado de Portugal se añeja usando un proceso poco común: calentar el vino, un paso que contribuye al sabor distintivo del vino de Madeira. Existen diferentes variedades de vino Madeira que van desde el dorado claro y ligeramente seco hasta el oscuro y muy dulce.

vino Riesling El vino Riesling, un vino blanco de sabor complejo hecho con uvas Riesling, tiene un sabor único que varía de seco a muy dulce. Sin embargo, la mayoría de los vinos Rieslings son notables por su delicado carácter afrutado y floral.

whiskey bourbon Un whiskey americano con base de maíz, el whiskey bourbon es añejado en barriles de roble quemado, lo que le proporciona el color dorado oscuro y un sabor ahumado.

yogurt estilo griego Este yogurt simple, hecho al estilo del yogurt griego tradicional, tiene una textura espesa y cremosa y un rico sabor ácido. Si no lo consigue, lo puede hacer poniendo yogurt natural de leche entera en un colador cubierto con manta de cielo y dejándolo escurrir durante varias horas.

zabaglione Una deliciosa natilla italiana hecha de yemas de huevo, azúcar y vino (por lo general vino Marsala), el zabaglione tiene una textura ligera y espumosa y se puede servir por sí solo o como un acompañamiento para un postre. Algunas veces se le da su nombre francés de sabayon.

índice

(degustis

Importado, editado y publicado
por primera vez en México en 2008 por
/ Imported, edited and published in Mexico in 2008 by:
Degustis, un sello editorial de / an imprint of:
Advanced Marketing S. de R. L. de C.V.
Calzada San Francisco Cuautlalpan 102 bodega D,
colonia San Francisco Cuautlalpan, Naucalpan de Juárez,
Estado de México, C.P. 53569
Título original/ Original title: New Flavors for Desserts
/ Nuevos sabores para Postres

Primera impresión en 2008
Fabricado e impreso en 2008 en Singapur por
/Manufactured and printed in 2008 in Singapore by;
Tien Wah Press, 4 Pandan Crescent , Singapore 128475
10 9 8 7 6 5 4 3 2 1
ISBN: 978-970-718-839-6

SERIE NUEVOS SABORES WILLIAMS-SONOMA
Ideado y producido por Weldon Owen Inc.
415 Jackson Street, Suite 200, San Francisco, CA 94111
Teléfono: 415 291 0100 Fax: 415 291 8841

En colaboración con Williams-Sonoma, Inc.
3250 Van Ness Avenue, San Francisco, CA 94109

UNA PRODUCCIÓN DE WELDON OWEN

UNA NOTA SOBRE PESOS Y MEDIDAS
Todas las recetas incluyen medidas acostumbradas en
Estados Unidos y medidas del sistema métrico.
Las conversiones métricas se basan en normas desarrolladas para
estos libros y han sido aproximadas. El peso real puede variar.

WELDON OWEN INC.
Presidente Ejecutivo, Grupo Weldon Owen John Owen
CEO y Presidente, Terry Newell
VP Senior, Ventas Internacionales Stuart Laurence
VP, Ventas y Desarrollo de Nuevos Proyectos Amy Kaneko
Director de Finanzas Mark Perrigo

VP y Editor Hannah Rahill
Editor Ejecutivo Jennifer Newens
Editor Senior Dawn Yanagihara
Editor Asociado Julia Humes

VP y Director de Creatividad Gaye Allen
Director de Arte Kara Church
Diseñador Senior Ashley Martinez
Diseñador Stephanie Tang
Director de Fotografía Meghan Hildebrand

Director de Producción Chris Hemesath
Administrador de Producción Michelle Duggan
Director de Color Teri Bell

Fotografía Tucker + Hossler
Estilista de Alimentos Erin Quon
Estilista de Props Chuck Luter

Fotografías Adicionales Kate Sears: páginas 54, 84, 91, 113; Dan Goldberg;
páginas 62, 105, 106; Rachel Weill; página 139; Getty Images; Dennis Gottlieb,
páginas 14 y 15, Image Source, páginas 78 y 79, Paul Katz, página 107; Corbis:
páginas 46 y 47, Bill Barksdale, páginas 110 y 111; Shutterstock: Maire C.
Fields, página 131; Jupiter Images: Burke/Triolo productions, página 139.

RECONOCIMIENTOS
Weldon Owen agradece a las siguientes personas por su generosa ayuda:
Asistentes de Estilista de Alimentos Jeffrey Larsen y Victoria Woollard;
Consultor de Fotografía Andrea Stephany; Editor de copias Heather Belt;
Correctora de Estilo Carrie Bradley; Índice Ken DellaPenta